Je vous écris de France

Au vieux poste de radio de famille,
à Marcel Luneau, mon « grand-père résistant ».
Et bien sûr à Pierre, Mathilde, Benjamin…

OUVRAGE ÉDITÉ AVEC LE SOUTIEN DE 

La Fondation d'entreprise La Poste a pour objectif de soutenir l'expression écrite en aidant l'édition de correspondances, en favorisant les manifestations artistiques qui rendent plus vivantes la lettre et l'écriture, en encourageant les jeunes talents qui associent texte et musique et en s'engageant en faveur des exclus de la pratique, de la maîtrise et du plaisir de l'écriture.

www.fondationlaposte.org

AURÉLIE LUNEAU

Je vous écris de France

LETTRES INÉDITES À LA BBC 1940-1944

Préface de Jean-Louis Crémieux-Brilhac

L'ICONOCLASTE

PRÉFACE

Mon plus ancien souvenir des lettres reçues de France et lues à la BBC est ineffaçable. C'était à Londres, fin 1941, au Petit Club, un sous-sol où se retrouvaient pour dîner des cadres de la France libre. On communiait dans la nostalgie au son de disques ressassant indéfiniment « Sous les toits de Paris » ou « Paris, tu n'as pas changé, mon vieux ». La radio annonça alors une exécution d'otages. Un instant plus tard, le chroniqueur du « Courrier de France » lut une lettre reçue de zone occupée exposant *« le dilemme des occupants »* : ou bien ils affichaient les listes des fusillés et ils dressaient plus encore la population contre eux, ou bien ils ne les affichaient pas, et à quoi bon fusiller ? Minute d'émotion pour nous, l'oreille tendue vers le poste de radio.

Le mois suivant, je fus affecté au commissariat national à l'Intérieur, chargé par de Gaulle des relations politiques avec la Résistance en France. Chaque semaine, la BBC me faisait parvenir des extraits des lettres de France. Les recevoir était à chaque fois un étonnement. Même si le trafic postal et télégraphique entre l'Angleterre et la France non occupée s'était maintenu, via le Portugal, jusqu'en novembre 1942, écrire était risqué, la censure et les dénonciations allaient bon train. Ainsi, ma femme, alors à Marseille, avait été convoquée par la police et avait dû expliquer les raisons pour lesquelles elle entretenait une correspondance avec Londres. Par la suite, nous avons pu recourir à un ami suisse qui nous servit de relais, mais je n'ai jamais pu communiquer avec ma mère restée à Paris. Cependant, il arriva que des censeurs ferment les yeux. Des missives parvenaient même à l'adresse suivante : *« Géné-*

ral de Gaulle, Londres » ! Les lettres de France étaient la miraculeuse réponse d'un pays à l'écoute d'une Angleterre insubmersible, d'une France libre porteuse d'espoir.

Une vive émotion

J'ai participé à l'émission phare de la BBC « Les Français parlent aux Français ». Lorsque, pour la première fois, dans la pénombre du petit studio, s'alluma le signal vert qui débloquait le micro, quelle ne fut pas mon angoisse à l'idée de m'adresser, par-dessus la Manche, à l'immense silence d'un pays écrasé dans la nuit. « Un officier des Forces françaises libres vous parle… » J'étais annoncé à l'antenne. J'imaginais, au loin, les villes et les campagnes immobilisées par le couvre-feu où des inconnus étaient à l'écoute, mes proches peut-être… Ce que j'allais dire nous rapprocherait pour quelques minutes, mais reconnaîtraient-ils ma voix ? Les lettres disaient que nous étions entendus, elles disaient le « non-consentement ». Elles reflétaient le vécu d'hommes et de femmes dont aucun rapport d'agent clandestin ne rendait encore compte.

Lorsqu'elles se raréfièrent à partir de novembre 1942, nous tirâmes nos informations d'autres sources. Mais rien, excepté les messages trop fréquents annonçant la disparition d'un résistant ou d'un ami, n'égalait ce qu'avait été notre émotion à la lecture de lettres où s'exprimaient tant de confiance et tant de peines : *« L'émission est souvent si brouillée qu'il est parfois très difficile d'entendre le speaker. Alors les têtes se rapprochent, les oreilles se collent à l'appareil… »*

Jean-Louis Crémieux-Brilhac

Prière de faire
parvenir à la
BBC
Merci

Convention d'édition : pour une meilleure lecture de cet ouvrage, les lettres ont été corrigées selon les règles typographiques et orthographiques actuelles. Le sigle « n.s. » signifie que certaines d'entre elles n'ont pas été signées.

LA RADIO DE L'ESPOIR

Le 20 juin 1940, une femme de Béziers écrit à la BBC : « *Chers amis anglais, merci pour le réconfort qu'apportent vos émissions aux Français restés avides de liberté, aux Français qui n'acceptent pas d'être mangés à la sauce hitlérienne, à ceux qui gardent au cœur, avec la rage impuissante contre les mauvais bergers, l'espoir tenace d'un relèvement.* » Éprouvés par le drame qui vient de se jouer et inquiets face à l'avenir, des Français se tournent vers Londres dès la fin des combats. Le 18 juin 1940, au lendemain de l'annonce par le maréchal Pétain de la demande d'armistice à l'Allemagne, c'est de la BBC que s'est élevée la voix d'un jeune général, au nom prédestiné. Fort de sa foi en la France, Charles de Gaulle lance un appel à poursuivre la guerre. Même si son allocution est peu entendue, la radio anglaise devient vite une confidente, une alliée, un exutoire aussi vers lequel on se tourne.

Dès lors, des milliers de lettres vont cheminer vers Londres, malgré les interdits et les risques encourus par leurs auteurs. Un grand nombre d'entre elles ont été sauvées de l'oubli, et sorties d'un long sommeil de soixante-dix ans.

La BBC n'a pas attendu juin 1940 pour proposer des émissions en langue française. Depuis la signature des accords de Munich, en septembre 1938, elle diffuse des bulletins d'information internationale. À l'époque, seuls 6,5 millions de Français sont équipés d'un poste, sur une population totale de 40 millions. On écoute alors la radio en famille ou entre amis.

Après la signature de l'armistice, le 22 juin, puis la rupture des relations entre la France et l'Angleterre, les Anglais proposent un rendez-vous radiophonique aux Français depuis Londres. Le 7 juillet, Michel Saint-Denis, alias Jacques Duchesne, constitue une équipe. Il recrute des journalistes comme Pierre Bourdan, Yves Morvan, alias Jean Marin, Jean Oberlé, le jeune soldat Pierre Lefèvre, le poète Jacques Borel (Brunius), le dessinateur Maurice Van Moppès, que Duchesne transforme en chansonnier. À la fin de l'année 1943, Pierre Dac rejoint la troupe.

« Les Français parlent aux Français »

Sous l'intitulé « Ici la France », l'émission débute le 14 juillet, avec l'ambition de soutenir le moral des Français, dénoncer la situation du pays, s'élever contre la propagande allemande, informer et dire la vérité ! Le 6 septembre, elle prend un nouveau titre, le fameux « Les Français parlent aux Français ». Ce programme en langue française, comme les bulletins d'information de la journée, est sous la coupe des Britanniques qui exercent une censure sur les textes des commentateurs. Aux antipodes de l'idée selon laquelle *« Radio Londres, c'est de Gaulle ! »*, le général n'a aucun droit de regard sur les programmes.

Mais, parallèlement, Winston Churchill lui offre un créneau quotidien. À partir du 18 juillet, de 20 h 25 à 20 h 30, sous le titre « Honneur et Patrie », la France libre dispose de cinq minutes d'antenne, avec comme porte-parole Maurice Schumann qui, lui aussi, se plie à la censure anglaise.

De Gaulle en est la vedette, même s'il n'y intervient que soixante-sept fois.

La « grand-messe » du soir commence donc à 20 h 15 par la lecture des nouvelles rédigées en anglais et traduites en français. À 20 h 25, « Honneur et Patrie » entre en scène, suivie de 20 h 30 à 21 heures par « Les Français parlent aux Français », dont le programme offre causeries, commentaires des nouvelles, témoignages, reportages, saynètes et chansons humoristiques que les Français fredonnent dans les queues devant les magasins. La créativité fait la force de ce rendez-vous quotidien. *« Radio Paris ment, Radio Paris ment, Radio Paris est allemand ! »* connaît son heure de gloire.

Mais ce qui fascine le plus les Français à l'écoute, ce sont les messages codés ! *« L'étoile filante repassera »*, *« Melpomène se parfume à l'héliotrope »*, *« La lune est pleine d'éléphants verts »*…, des messages qui servent, dès septembre 1941, à mettre en contact les résistants et les agents des services secrets britanniques parachutés en France.

Dans un pays aux médias sous contrôle, le succès de la BBC inquiète les Allemands et Vichy. Une véritable guerre des ondes se joue dès lors entre trois radios, instruments au service d'une idéologie et d'une cause : Radio Paris sous la botte nazie, Radio Vichy à la gloire de Pétain, et la BBC, poste de la Résistance outre-Manche.

Les autorités allemandes et françaises ne tardent pas à en interdire l'écoute. Mais ni les saisies de poste, ni les menaces d'amendes, de peines de prison, voire de travaux forcés n'empêchent les Français de se brancher sur le poste de Londres, qui comble leur quête de résistance des esprits. « *Quand les Allemands nous brouillent, les Français se débrouillent* », tel est le slogan de la BBC qui parviendra toujours à offrir sur les trois longueurs d'onde (longues, moyennes et courtes) une écoute aux auditeurs français.

Via Berne, Genève ou Lisbonne

Basée au cœur de la capitale anglaise, Radio Londres devient la radio de la liberté, de la vérité et de l'espoir ! Au-delà de la guerre des mots, elle s'engage dans une guerre d'action, lance des appels à manifester et à exprimer l'opposition aux autorités allemandes et françaises. Elle devient peu à peu le vecteur d'une résistance civile sans précédent qui doit transformer ses auditeurs en auxiliaires des Alliés le jour J.

À Londres, les speakers ne prennent véritablement la mesure de leur succès d'audience qu'à l'automne 1940, à la réception de la première lettre enfin parvenue à bon port. Car, peu à peu, une correspondance s'établit entre des Français, de toutes les origines sociales et de toutes les régions, et la BBC. Pourtant, écrire relève du parcours du combattant.

Depuis la victoire allemande, la censure règne. La correspondance entre la zone occupée et la zone libre est interdite, sauf pour le courrier administratif et les cartes familiales, autorisés à partir de septembre 1940. En zone libre, le contrôle postal touche l'ensemble du courrier. Il faut donc passer le maillage de la censure en place. Aucune lettre ne circulant vers l'Angleterre, les missives transitent par la Suisse, l'Espagne et le Portugal. Les correspondants de la BBC usent de procédés variés : certains tentent leur chance auprès de la poste, comptant sur l'aide d'un censeur « ami », d'autres (plus souvent des zones occupée, interdite ou annexée) confient leur courrier à des proches en zone libre, parfois à des inconnus. On envoie sa lettre par le biais de la Croix-Rouge, du consulat d'Angleterre à Genève, ou celui des États-Unis à Lyon... Via Berne, Lisbonne, Genève, une centaine de ces lettres arrivent en moyenne chaque mois à Londres jusqu'en 1942, deux tiers de zone libre, un tiers de zone occupée, et quelques rares des zones interdite et annexée. Elles mettent plus de deux mois pour arriver à destination. Après une dernière censure, anglaise cette fois, ces courriers sont lus à l'antenne, mais l'occupation totale de la France en novembre 1942 restreint peu à peu ce flot. En 1944, les lettres ne passent plus.

Une parole libre

Ainsi, des hommes, des femmes, des enfants, écrivent, recopient, multiplient les missives pour mieux surmonter la censure. Anonymement, pour la plupart, par peur des représailles, ils prennent la plume pour raconter leur quotidien et partager leurs sentiments les plus profonds. Une parole libre, déversée sous forme de lettres, de rapports, de cartes postales, accompagnée de photos, poèmes ou dessins. Tous ces courriers forment un tableau vivant des privations, interdits, arrestations, agissements de Vichy et de l'occupant... Une fenêtre sur l'état d'esprit qui règne en France, des écrits précieux analysés par les services britanniques chargés d'établir des rapports d'écoute et d'opinion sur l'Europe. Ces dossiers constituent la principale source d'information des speakers de la BBC. À la tête de ce service de documentation, le Français Émile Delavenay, ancien rédacteur de l'agence Havas à Londres, décortique ces feuilles de papier. Soixante-dix ans plus tard, on y relève des annotations et traits de couleur signalant des passages importants.

Le temps nous a légué ces archives, des enveloppes aux couleurs passées, avec des adresses succinctes, *« BBC London, Angleterre »*, *« Monsieur Jacques Duchesne, BBC House, London »*... Et à l'intérieur, des morceaux d'espoir, des attentes, des appels à l'aide, mais aussi des griefs, des sentiments à vif qui constituent un magnifique témoignage de cette opposition de corps et de cœur.

Aujourd'hui, ces lettres se déploient sous nos yeux, avec des écritures parfois maladroites ou superbement calligraphiées. Elles nous racontent une histoire, l'aventure d'un fil ténu tissé entre les Français et leurs *« amis de Londres »*, et qui se poursuit après la Libération, comme en témoigne cet habitant de Saint-Mathurin (Vendée), en mars 1945 : *« Comment ne pourrait-on pas continuer d'écouter la BBC qui, pendant quatre ans, a été l'étoile brillante et pure, dominant le tumulte et la tempête, qui s'abattait sur l'Europe... »*

LES VOIX DE LONDRES

« LE PATRON »

JACQUES DUCHESNE
(MICHEL SAINT-DENIS, 1897-1971)

Homme de théâtre, tout comme son oncle Jacques Copeau, Michel Saint-Denis vit à Londres lorsque la guerre éclate en 1939. Mobilisé comme officier de liaison auprès du Quartier général anglais, il est évacué vers l'Angleterre au moment de la retraite de Dunkerque en juin 1940. Dès le 7 juillet, il est contacté pour créer les émissions quotidiennes de Radio Londres destinées aux Français. Il recrute l'équipe, élabore les émissions, prend la parole presque tous les soirs et donne le ton. Son pseudonyme ? Il le choisit en référence au Père Duchesne, journal satirique et irrévérencieux de la Révolution française.

LES PRINCIPAUX CHRONIQUEURS

PIERRE BOURDAN
(PIERRE MAILLAUD, 1909-1948)

Journaliste, Pierre Maillaud est sous-directeur de l'agence Havas à Londres en 1939. Après la débâcle, il prend immédiatement parti pour la France libre. Lorsqu'il rejoint l'équipe de Radio Londres, il choisit le surnom de Bourdan, en souvenir d'un petit village de la Creuse, Le Bourg-d'Hem où, enfant, il passait ses vacances. C'est lui qui commente les nouvelles politiques à la BBC. Au printemps 1944, Bourdan quitte la radio et devient correspondant de guerre auprès de la division Leclerc. Fait prisonnier par les Allemands le 1er août, il s'évade d'un train à hauteur de Saumur, se cache, et écoute clandestinement ses amis de Radio Londres à Jumelles, chez Marcel Derouin. Il rejoint la 2e DB qu'il accompagne jusqu'à Paris.

Jacques Borel
(Jacques Henri Cottance, 1906-1967)

Acteur, réalisateur, homme de radio et écrivain, proche des surréalistes et du groupe *Octobre*, il signe, selon les circonstances, textes et films d'un patronyme différent : Borel, Jacques Borel, Brunius, J. B. Brunius, Jacques B. Brunius, Jacques-Bernard Brunius, John La Montagne, Olaf Apollonius, Jacques Berne... Peu après l'Appel du 18 Juin, il rejoint la BBC et devient responsable de la rubrique « Courrier de France » à la radio de Londres.

Jean Marin
(Yves Morvan, 1909-1995)

Le journaliste Yves Morvan est correspondant, comme Pierre Bourdan, de l'agence Havas à Londres en 1939. Présent à la BBC le 18 juin 1940, il entend dans un studio proche de celui du Général, l'appel lancé sur les ondes. Dès le lendemain, il prend la parole sur l'antenne sous le nom de Jean Marin, en souvenir de ses origines bretonnes. Chaque soir, il s'adresse aux Français. En septembre 1943, il rejoint les Forces navales françaises libres comme officier, intègre la 2e DB du général Leclerc. Le général de Gaulle le charge du redémarrage de Radio Bretagne.

Jean Oberlé
(1900-1961)

Artiste peintre, Jean Oberlé est illustrateur de presse et journaliste à ses heures. Atteint par une poliomyélite à 28 ans, et ne pouvant marcher qu'à l'aide d'une canne, il n'est pas mobilisable en 1939. C'est donc comme correspondant de guerre qu'il rejoint Londres. Le 18 juin 1940, il est avec Jean Marin quand il entend le Général. Sa fantaisie, son humour et son sens de la repartie font de lui, l'un des auteurs des slogans les plus célèbres de Radio Londres. C'est à lui que l'on doit, entre autres : *« Radio Paris ment, Radio Paris ment, Radio Paris est allemand. »*

LE PORTE-PAROLE DE LA FRANCE LIBRE

Maurice Schumann
(1911-1998)

Licencié en philosophie, journaliste de l'agence Havas, Schumann est un esprit brillant. Il entend l'Appel du 18 Juin 1940 et décide de rejoindre le général de Gaulle. Lorsqu'il rédige son premier billet radio le 9 juillet, sa voix est jugée trop aiguë et non radiophonique : c'est Jacques Duchesne qui se charge de la lecture à l'antenne. L'oreille du Général en juge autrement et, le 18 juillet, Schumann commence sa carrière de porte-parole de la France libre. Il parlera plus de mille fois à la radio, appelant à la résistance. Le 2 mai 1944, il est remplacé par André Gillois, chargé de guider les Français jusqu'à l'automne.

LE PROGRAMME DU SOIR À LA BBC

20 h 15-20 h 25 : lecture des nouvelles en français par des rédacteurs anglais bilingues. Avec le passage à l'heure d'hiver, les programmes débutent à partir de 21 h 15.

20 h 25-20 h 30 : « Honneur et Patrie », l'émission de la France libre animée par Maurice Schumann.

20 h 30-21 h : « Les Français parlent aux Français ». Jacques Duchesne ouvre l'émission. Viennent ensuite les nouvelles commentées par Jean Marin, puis des saynètes, chansons, reportages, commentaires, et slogans contre Vichy ou l'occupant.

Les moments forts hebdomadaires sont :

- « La discussion des trois amis » réunit trois hommes commentant l'actualité. Jean Oberlé est le bourru sceptique, Pierre Bourdan le lucide au ton péremptoire, et Jacques Duchesne le conciliateur de bon sens.
- « La petite Académie », souvent programmée le dimanche soir, transporte l'auditeur au cœur de l'Académie française, contrôlée par les Allemands. Avec Jacques Borel dans le rôle du président, Jacques Duchesne l'archiviste et Jean Oberlé le rapporteur, les mots du dictionnaire sont redéfinis à la lumière de l'Occupation.
- « Courrier de France », tous les vendredis, à partir du 3 janvier 1941, Jacques Borel consacre une émission à la lecture des lettres de France. En juillet 1943, le courrier étant plus rare, elle s'intitule « Chronique de France » et repose sur les témoignages de ceux fraîchement arrivés en Angleterre.

1. L'EFFONDREMENT

Juin-Décembre 1940

Dans une lettre du 5 juillet 1940, une auditrice s'exclame : *« J'ai entendu hier avec une émotion l'appel de votre leader, le général de Gaulle. J'ai été, comme chaque fois du reste, profondément touchée de ses paroles si émouvantes que je ne doute pas qu'elles soient entendues par-delà les mers ! »*

Après le choc de la défaite et le traumatisme de l'exode, la population se sent à la fois abandonnée par les Alliés et trahie par les hommes de la IIIe République. Mais les voix dissidentes qui s'élèvent du poste de Londres laissent entrevoir une lueur d'espoir ! Dans tout le pays, des auditeurs se branchent sur les antennes interdites, seuls ou en groupe, avec comme point d'orgue l'émission du soir, de 20 h 15 à 21 heures, qui fait *« l'effet que doit faire au prisonnier la lumière ou le souffle d'air pur qui lui vient du dehors »* (lettre du 9 septembre).

Dans cette France voulue par Pétain, où *« le bourrage de crâne se fait sentir à la radio française, comme dans la presse »* (lettre du 9 août), certains choisissent immédiatement de prendre la plume pour confier leurs sentiments aux *« amis de Londres »*. Ils décrivent l'horreur des derniers combats, l'invasion du pays, dénoncent les méthodes de l'occupant, saluent le réconfort qu'apporte la BBC, donnent des conseils aux Anglais… mais s'offusquent aussi de propos tenus contre le régime de Vichy. Car, en cette année 1940, les cœurs balancent et il n'est pas rare d'être à la fois pétainiste, gaulliste et anglophile. Beaucoup ont placé leur confiance dans le vieux maréchal de 84 ans, drapé dans son manteau de héros de la Grande Guerre, respecté et adulé ! Comme l'explique cette Marseillaise, le 24 juin, *« notre foi en l'avenir, en la France éternelle, est intacte, et elle est inébranlable en la personne de notre chef le maréchal Pétain »*. Un seul ciment commun unit les Français, la haine de l'occupant.

Écrits en juin 1940, ces premiers courriers ne parviennent à Londres qu'en septembre. Dans l'équipe des « Français parlent aux Français », l'émotion est à son comble. La première lettre reçue passe de main en main, symbole de la relation hertzienne tissée entre eux et la terre natale. Désormais, ils le savent, les Français sont à l'écoute ! *« Ces lettres qui vous arrivent de France vous sont un encouragement. Pour nous, elles sont bien autre chose... le plus fervent témoignage de gratitude que nous puissions vous donner ainsi que la plus ardente prière qui monte du fond de notre détresse vers le seul espoir que vous représentez pour nous »* (lettre du 26 juillet 1940). En moyenne, une centaine de lettres arrivent chaque mois à la BBC, de précieux documents qui offrent aux Alliés une photographie de la vie des Français, de leur état d'esprit et de leur capacité à entendre Radio Londres. Dès le 7 octobre, Jacques Duchesne donne lecture de la première lettre dans le programme « Les Français parlent aux Français ».

Les auditeurs de la BBC, en bravant la censure, sont devenus des héros ordinaires, témoins de leur temps...

Lettre envoyée de Chambéry, 23 décembre 1940.

LA FIN DES COMBATS

Impensable renoncement ! Sous le coup de l'allocution radiophonique du maréchal Pétain, un auditeur (ou une auditrice) anonyme prend la plume et propose aux Anglais la seule solution qui vaille à ses yeux : poursuivre la lutte contre l'ennemi depuis l'Angleterre, avec les « vrais Français ».

ARGELÈS-GAZOST (HAUTES-PYRENÉES), 20 JUIN 1940

Il vient de m'être rapporté que le maréchal Pétain avait annoncé à midi que la France devait cesser le combat et accepter les exigences de l'ennemi.
Certes nous savons tous que nos armées ont subi les pires échecs, nous savons que nos soldats sont à bout de forces, que le matériel fait défaut. Cependant nous avons conclu avec la Grande-Bretagne* un traité que nous sommes déterminés à respecter.
En conséquence, quelle que soit l'attitude observée par le gouvernement français, il importe avant tout que la jeunesse et l'armée française ne tombent pas aux mains des Boches.
Aussi souhaitons-nous que l'Angleterre passe un appel public aux Français, aux vrais Français, qui ne veulent à aucun prix entendre parler de capitulation de la France, appel par lequel chaque homme valide saura qu'il doit s'apprêter à partir pour la Grande-Bretagne.
Le rôle des Anglais consistera donc à venir prendre dans les ports de France qui ne sont pas tombés aux mains de l'ennemi les Français qui désireraient servir dans l'armée française de Grande-Bretagne. De cette manière, nous pourrons remplir notre engagement et, sur les champs de bataille, face à l'ennemi, pourrons-nous hurler : vive la France, vive l'Angleterre.

n. s.

* En mars 1940, un accord fut passé entre la France et l'Angleterre interdisant toute demande d'armistice séparé.

L'AGONIE

Pour cette « vieille Française », *qui dit parler au nom de tous, le retrait des forces britanniques à Dunkerque signe la fin, l'abîme, la mort pour le peuple de France, lâchement abandonné. La rancœur à l'égard de l'allié d'hier transpire entre chaque ligne, et fait de cette lettre une sorte de testament.*

LOT-ET-GARONNE, 21 JUIN 1940

Non ! Monsieur le rédacteur, ni fleurs ni couronnes, et surtout, oh ! surtout plus de vains discours, ni d'hypocrites paroles. L'étranger qui a froidement épié notre agonie n'a pas le droit aujourd'hui de soulever notre pierre tombale pour compter nos blessures ou espionner nos derniers râles. Du fond de l'abîme où nous sommes, ces paroles ne sont qu'un vague murmure qui ne peut plus ranimer nos cœurs morts, morts à la confiance, morts à l'espoir, morts à la fin. Et puis, qu'importe aux étrangers égoïstes, indifférents ou cyniques, ce que nous devenons : nous n'avons plus rien à donner. Or et sang, nous avons tout versé à flots, et c'est dépouillés, mais la conscience nette, que nous entrons dans le grand néant.

Une vieille Française qui parle pour tous

LA HONTE

En ce jour d'été 1940, une fidèle auditrice des émissions du soir « Ici Londres », fervente anglophile depuis 1914-1918 et qui dit aimer « les peuples libres, francs et loyaux », éprouve le pire des sentiments, celui qui pousse aux larmes, mais produit aussi le sursaut national : la honte d'être française !

THONON-LES-BAINS, 23 JUIN 1940

Monsieur le speaker de la BBC,
Ce soir j'ai pleuré de honte en entendant le maréchal Pétain et je veux vous demander pardon des paroles qui ont été

dites car je suis française*. Tout notre espoir est maintenant en vous, notre pays dont nous étions si fiers a tout perdu en quelques jours. Il n'est plus rien qu'un vaincu digne de l'être s'il ne répond pas à l'appel du général de Gaulle. Je souhaite et désire de toutes les forces de mon âme que nombreux, très nombreux soient les Français qui pourront venir continuer la lutte à vos côtés. L'armée de terre sera peut-être comme nous obligée de souffrir en silence, mais je veux bien croire que l'aviation et la marine iront à vous pour aider à gagner la guerre car il nous faut, plutôt il vous faut, la victoire.
Il ne nous reste rien, peut-être même pas le nom de Français, synonyme ce soir de Judas. De tout cœur nous sommes avec vous. La France qui pense, qui sent, qui comprend, est tout entière avec vous, les autres aussi y viendront car il ne leur faudra pas trop longtemps pour comprendre. Sauver la liberté du monde, ce grand honneur vous est dû et vous l'aurez. Puissent-ils être nombreux les Français qui iront avec vous, cette pourriture hitlérienne serait vraiment un fléau sans nom si nous devions voir un jour vos vaillants marins de Dunkerque mis à mal à cause de nous ou par nous. L'Angleterre choisie par le destin sera digne, je crois, de ce choix, j'aurais voulu avoir la fierté de dire la France aussi.
I am *«Little Town»* dans un petit village du Midi.
Même si nous ne pouvions plus vous écouter, continuez toujours à 12 h 45 à dire « Ici Londres », nos cœurs vous entendront toujours.

n. s.

* Le 22 juin 1940, alors que l'armistice est sur le point d'être signé, Churchill prononce à la BBC un violent réquisitoire contre la France. Pétain lui répond le lendemain sur les ondes.

Dans Paris occupé, depuis la première descente de l'armée allemande sur les Champs-Élysées, le 14 juin 1940, les Français assistent chaque jour au rituel du défilé.

PLURIAL
PLURIAL

VOTRE IGNOBLE CAMPAGNE

C'est un homme à vif qui s'adresse aux Anglais. Révolté par le rapprochement entre Charles de Gaulle et Winston Churchill, il est hanté par la peur de voir ses compatriotes s'enliser dans un conflit fratricide opposant gaullistes et pétainistes.

Nice, 24 juin 1940

Je crois de mon devoir d'auditeur de vous donner, surtout en ce moment, mon impression sur votre émission d'hier soir 22 heures en français. J'habite le Midi et malgré un orage terrible j'ai pu avoir une très bonne audition, ce qui n'arrivait plus depuis quelque temps.

Je fais la dépense d'un timbre pour vous dire que j'ai trouvé cette émission parfaitement révoltante. Vous rendez-vous compte que vous faites, en prêchant ouvertement la désunion des Français, en annonçant la création à Londres d'un Comité français* sous l'autorité de quelqu'un qui, s'il n'était pas lui sous votre coupe, ne s'intitulerait pas général une fois destitué, le jeu de nos adversaires ? Vos émissions nous avaient en France habitués à un peu plus d'objectivité et vous avez donc eu tort de ne pas diffuser l'appel d'hier du maréchal Pétain. Sachez que si nul ne pourra désunir les Français, nous devons nous courber devant les ennemis après avoir souffert et lutté mieux que les vôtres (RAF exclue), et aussi que si vous persistez à vouloir créer à Londres une sorte de second gouvernement français, vous nous placerez, ici, en France, dans l'obligation de rechercher une entente plus étroite avec les Allemands, ce qui pourrait vous coûter cher. Grâce à votre pays qui, lui, est intact, le courant peut encore être remonté. Peut-être aussi les États-Unis se décideront-ils à une aide officielle, à une aide matériellement efficace, ce qui nous a manqué à tous deux jusqu'à maintenant, France et Grande-Bretagne.

* Le 22 juin, de Gaulle voit sa nomination de général à titre temporaire annulée. Le lendemain, alors qu'il annonce la formation d'un Comité national français en accord avec le gouvernement britannique, il est « admis à la retraite d'office » par mesure disciplinaire. Condamné par contumace à la peine capitale le 4 juillet, il est déchu de la nationalité française.

French Reaction

22 FRANCE 10-57

En

ANON

ON SUIT AVEC
GRAND INTERÊT
VOS ÉMISSIONS QU
OTIDIENNES, MAL
GRÉ LES DIFFICUL
TES QU'IL Y A DE LES
ENTENDRES. DANS
TOUTES LES CLAS-
SES DE LA SOCIÉTÉ
ON LES ÉCOUTE;
ENSUITE, ON EN
PARLE.

Lettre d'un auditeur des émissions de 22 heures, du 10 juillet 1940, qui écrit en lettres bâton. Est-ce pour masquer son identité ou pour rendre lisible une écriture malhabile ?

Je suis très informé et je vous le dis avec un peu d'espoir, laissez votre ignoble campagne. Notre pays a trop souffert de l'invasion récente de près de la moitié de son pays, trop perdu de sang pour continuer, d'autant plus que votre aide, à vous Anglais, a été bien plus limitée qu'on avait pu l'espérer soit par la quantité de vos hommes, soit par la quantité de votre matériel. [...] Faites votre *mea culpa* et demandez un peu à votre gouvernement, pour n'avoir pu envoyer plus d'hommes, si vous n'avez pris un peu trop modèle sur la tortue et fait faire plus de sport que d'efforts militaires. À mon sens, le seul tort que l'on puisse donner à la France, c'est de vous avoir choisi comme alliés.
Recevez mes salutations.

n. s.

L'ARDEUR RÉPUBLICAINE

Une « femme de France », *fille d'institutrice, institutrice elle-même et mère d'universitaires formés dans les plus grandes écoles du pays, prend la plume. Depuis le 17 juin, elle ne ressent que douleur et indignation face au spectacle de la débandade française. La devise « Liberté, égalité, fraternité » vissée au cœur, elle écoute la BBC* « comme près d'une fenêtre largement ouverte, par où entre l'air pur ».

Juillet 1940

C'est une femme aux cheveux blancs qui vous écrit, une de ces institutrices qui ont enseigné au village, dans « un de ces plis cachés de la France » comme aussi dans quelques-unes de ces belles villes de la plaine. Ici, comme là, dans ces murs blanchis à la chaux où la belle devise républicaine « Liberté, égalité, fraternité » s'impose aux yeux de tous comme la glorieuse étiquette d'un régime, elle a enseigné la propreté morale, le courage dans l'action, le respect de la parole donnée, la tolérance. Les reproches injustes contre cette école de la IIIe République ne la touchent pas ; ceux qui les formulent ne l'ont pas même approchée. En toute conscience, dans le déchirement de sa souffrance, elle ne peut accepter le drapeau du gouvernement actuel et du « parti unique » qui, plus que tout autre, divise le pays sur les points vitaux et sur la question d'honneur. Que les ouvriers des dernières heures de la défaite soient flétris à jamais dans l'histoire de notre pays ! Vive le général de Gaulle, ces officiers, ces soldats, qui défendent la France dans le suprême honneur ! Vive la France ! Vive les bons Français ! Merci.

Une institutrice

JE VOUDRAIS VOUS AIDER

Comme beaucoup d'auditeurs, cette femme, née en Algérie, a longtemps hésité à confier par écrit ses sentiments de reconnaissance et d'admiration pour l'Angleterre. À la BBC qui lui apporte espoir et réconfort, elle offre spontanément son aide aux côtés des Alliés.

CANNES, 5 JUILLET 1940

Cher Monsieur,

J'ai entendu hier avec émotion l'appel de votre leader, le général de Gaulle. J'ai été, comme chaque fois du reste, profondément touchée de ses paroles si émouvantes que je ne doute pas qu'elles soient entendues par-delà les mers, par de nombreux Français qui viendront encore se grouper autour de la croix de Lorraine* !

Parmi mes amis, beaucoup voudraient le faire ! À cela les moyens matériels manquent pour arriver jusqu'à vous !

* La Croix de Lorraine est adoptée par la France libre le 1er juillet 1940. Un symbole de lutte contre la croix gammée.

« Quand j'ai un peu trop
le cafard c'est mon seul
refuge, je m'enferme dans
ma chambre et je prends
l'émission d'un poste
anglais, pas trop fort pour
que cela ne s'entende pas de
l'extérieur, je ferme les yeux
et j'écoute, c'est de l'anglais,
je ne comprends pas, mais
cela me fait du bien car je
sens que c'est une voix amie
qui me parle. »

Une Française de 22 ans, *Gagny, Seine-et-Oise, juillet 1940*

S! GAUDENS
BELVÉDÈRE
DES
PYRÉNÉES

ST GAUDENS
HAUTE GARONNE
19
22-8
40

POSTES 50c
REPUBLIQUE FRANÇAISE

22

D

Direction B.B.C.

Londres

EXTRACT

Angleterre

54 French Reaction

Anon

"CE"

L

S

Tout notre "Espoir"

est en Vous!...

Un groupe de ferventes auditrices Dauphinoises de la B.B.C.

J'en connais d'autres que la peur que leur inspire les nazis font taire leurs sentiments naturels, mais ils n'en désirent pas moins votre victoire... Moi aussi, je voudrais pouvoir contribuer à la victoire des deux pays ! Mais comment y arriver ? Tous les jours, je me sens un peu plus inutile ici, je perds mon temps, ce temps précieux qui pourrait être remplacé à une grande cause ! Pourquoi n'existe-t-il pas une légion de Françaises libres ! Elles seraient nombreuses autour du drapeau ! Avant de terminer cette lettre, laissez-moi vous dire que je suis une Algérienne née et élevée dans le désert. J'aime mon pays par-dessus tout, je suis prête à lui donner ma vie si elle lui est utile.

Une Algérienne

LA FRANCE EST UNE IMMENSE PRISON

Il signe Vox et porte la voix de la jeunesse. Avec une écriture en pattes de mouche, cet étudiant dénonce l'abandon et la trahison du nouveau pouvoir. Mais grâce aux « amis anglais et aux héros français qui ont l'honneur de continuer la lutte sur le sol libre »*, il est persuadé que son pays, livré au* « démon germanique »*, verra un jour le triomphe de la liberté.*

Bordeaux, 21 juillet 1940

Les Français, tous les Français, ont compris ce que voulait dire les mesures prises par les Anglais en ce qui concerne la marine française – mise hors d'état de nuire*. Mais ce qu'ils ne peuvent comprendre, ce qu'ils ne pourront jamais comprendre, c'est l'obstination et l'entêtement dont a fait preuve dans ces circonstances le gouvernement de Vichy. Lui seul est responsable de la mort de nos marins, innocentes victimes sacrifiées au bon plaisir d'Hitler et des hommes de Berlin !

* Le 3 juillet 1940, la Royal Navy détruit la flotte française à Mers el-Kébir, près d'Oran, afin qu'elle ne tombe pas aux mains des Allemands. Les relations diplomatiques entre les deux pays sont rompues. Elles ne reprendront qu'en 1944

Par tous les moyens, le gouvernement dit français s'efforce de nous réconcilier avec les ennemis d'hier et, qui plus est, il s'efforce de nous dresser contre nos alliés d'hier et de demain. Le gouvernement a pris ses précautions. Pour servir de bouclier au mécontentement populaire, il avait eu soin d'élever à la dignité de chef de l'État français (et non de la RF) le maréchal Pétain. Il a fait cela afin de rassurer l'opinion et pour sauvegarder les apparences. Mais il n'a pu et ne pourra tromper personne ; le piège tendu est trop grossier. Les hommes de Vichy font marcher le « vieux héros » de la dernière guerre. Il n'est qu'un prête-nom, le jouet des amis de Berlin.
Depuis un mois, la France n'est plus qu'une immense prison. La liberté est morte depuis le jour où on a enterré la constitution de 1875*. Enterrée pour qui ? Par une poignée d'hommes à la solde d'Hitler qui avaient pris soin auparavant d'éliminer ceux ou la plupart de ceux qui auraient pu se prononcer contre cet acte criminel entre tous. Et ceux qui, hier encore, voulaient le régime démocratique – celui de la liberté –, ceux qui en faisaient l'éloge affirment aujourd'hui que c'est lui qui a perdu la France (le régime, mais pas les hommes !).
Ils satisfont ainsi leurs intérêts, sacrifiant ceux du peuple français. Ces traîtres, nous les connaissons aujourd'hui, ils ont jeté leur masque en faisant le jeu d'Hitler. Par des discours mensongers ils essaient, mais en vain, de nous dresser contre les Anglais. Les hommes de Vichy acceptent d'être les serviteurs du gouvernement du Reich. Et quels dévoués serviteurs !
Mais le jour viendra, espérons-le, où ils devront rendre compte de leurs actes...

* Le 10 juillet, le Parlement vote les pleins pouvoirs au maréchal Pétain. Les lois constitutionnelles de 1875 sont suspendues. La IIIe République cède la place à l'État français.

Bourges le 25 Juillet 1940

"cinq Françaises en territoire occupé" trouvent une grande consolation à écouter vos émissions en Français, vous remercient bien fort du réconfort que vous leur donnez et conservent une grande confiance en la délivrance de leur pays par leur amie l'Angleterre – Vive la France et Vive l'Angleterre

Après la défaite, rares sont les lettres signées par leurs auteurs. Écrite le 25 juillet 1940, la carte de ces cinq Françaises de la zone occupée arrive à la BBC le 6 septembre.

En ce mois de juillet 1940, la France n'a plus le droit de penser français, pas plus qu'elle n'a le droit d'être libre : c'est du moins l'opinion de ses dirigeants. Par tous les moyens, ils essaient de nous convaincre que l'ennemi de la France, c'est l'Angleterre.
Dans cette atmosphère insupportable, dans cet air vicié, qu'elle n'est pas notre joie de pouvoir chaque jour écouter la voix de nos amis anglais ou de nos frères français se trouvant dans l'île de la liberté. C'est un peu d'air pur qui vient jusqu'à nous. [...]
C'est un jeune Français qui vous parle. Il s'adresse à vous parce qu'il veut exprimer ouvertement toute son admiration (qui est celle de tous les Français) pour ceux qui ont pour mission de libérer l'Europe du tyran germanique. C'est peu de chose, hélas ! que de vanter une cause pour laquelle on ne peut rien faire ; mais c'est du moins une consolation, un soupir de soulagement de pouvoir dire ce que l'on pense. [...]
Les Français ne peuvent plus parler ; mais ils peuvent tout de même penser s'ils ne peuvent exprimer leurs pensées. Cela suffit pour le moment. La France n'est pas morte, elle ne peut pas mourir. L'âme de la France vivra quoi qu'il arrive. Le jour de la délivrance viendra.
Vive la France ! Vive l'Angleterre !

Vox

P.S. : Je ne signe pas de mon propre nom, mais que vous importe, n'est-ce pas de connaître un nom. Je suis français, voilà tout. Vous comprendrez pourquoi je ne signe pas.
La méfiance est de rigueur.

PRENEZ GARDE AU GÉNIE D'HITLER

Le ton est vif, les phrases directes, et le propos cinglant. Ce correspondant qui signe « un Français patriote » *ressent le goût amer de la défaite.*

LE MANS, 25 JUILLET 1940

À Messieurs les Anglais,
Pourquoi vous obstinez-vous à nous reprocher constamment d'avoir abandonné le combat après la conclusion de l'armistice ? Vous auriez préféré sans doute voir le dernier soldat français exterminé et notre pays ravagé davantage par un ennemi puissant, redoutable, bien supérieur en effectif, et doté d'un important matériel motorisé qui lui a permis d'accomplir une guerre éclair. D'autre part, vous savez également qu'à la suite d'une panique regrettable provoquée par l'arrivée des Allemands, une grande partie de la population a fui sans but précis sur les routes où les attendaient les pires souffrances et des privations de toutes sortes. Combien de ces malheureux, évalués à plusieurs millions, y compris les Belges, pourront réintégrer leur demeure ? Cet exode s'est produit vers le 15 juin dernier et actuellement beaucoup ne sont pas encore rentrés*. Chaque jour, par la radio, nous apprenons que d'innombrables familles égarées se recherchent ; c'est là un des aspects les plus douloureux de cette maudite guerre. Tout cela ne doit pas vous émouvoir et vous rend indifférents ; dans vos nombreuses émissions, vous n'y faites jamais allusion, ce qui prouve bien votre parfait égoïsme. Mais prenez garde au génie d'Hitler qui vous ménage dans un avenir proche une surprise désagréable que vous n'aurez pas volée. [...]
Je vous salue.

Un Français patriote

*
Environ 10 millions de personnes, près du quart de la population, fuient devant l'avancée allemande entre mai et juin 1940. En septembre, seules 2 à 3 millions de personnes ont regagné la zone occupée.

Pierre Bourdan, l'une des voix de l'émission radiophonique « Les Français parlent aux Français ».

RESPECTONS LE MARÉCHAL

« N'attaquez pas le maréchal Pétain ! » *Cette supplique récurrente se retrouve dans de nombreuses missives jusqu'en 1941, à l'image de cette lettre à l'écriture féminine, signée de ces deux seules initiales, J. K., et dont l'auteur se présente ostensiblement comme gaulliste et pétainiste.*

VALS-LES-BAINS, 26 JUILLET 1940

Monsieur,

Nous aimerions que l'on ne dise pas de mal du maréchal Pétain que nous respectons et admirons. Il fait en grand le sacrifice que chacun de nous fait en petit. Il fallait que ce soit lui qui demande cette discipline pour que nous suivions. Et il essaie de bien faire. Ces mesures prises par lui actuellement étaient indispensables et feront le plus grand bien à notre pays si elles sont appliquées en toute justice. [...]

Mais nous souhaitons qu'il fasse du bon travail chez nous, pour vous, pour nous.

De tout cœur merci.

Nos sentiments les meilleurs et nos prières ardentes.

J. K.

VOTRE RADIO EST GROTESQUE

Meurtri depuis 1918 par l'attitude de l'Angleterre vis-à-vis de l'Allemagne, un auditeur s'agace du verbiage, de l'égoïsme et de l'irresponsabilité des dirigeants anglais. Il fustige l'allié britannique, fautif selon lui d'avoir ignoré la situation militaire et entraîné la France dans la déroute.

MARSEILLE, 29 JUILLET 1940

Monsieur,

Bien avant l'offensive des Allemands en Belgique je vous ai fait part des vives appréhensions des Français sur la nullité de l'aide apportée par les Anglais pour la conduite de la guerre. J'exprimais l'avis que l'alliance franco-anglaise entre

des peuples qui ne se sont jamais compris ne pouvait amener que la débâcle de chacun d'eux. Les événements m'ont donné raison et ils ont même dépassé mes prévisions les plus pessimistes.
[...] Les Anglais ne veulent pas se battre, ils préfèrent laisser battre les autres. [...] Les forces que l'Angleterre a envoyées en France en 1940 étaient extrêmement faibles, mal entraînées et ne possédant pas le matériel nécessaire. Dès lors il était mathématiquement impossible à la France, mal armée, mal outillée et assez démoralisée de résister à la venue de plus de 200 divisions allemandes supérieurement armées et entraînées. Le résultat n'était pas douteux et il ne s'est pas fait attendre. En cela l'Angleterre a fait preuve de la plus incompréhensible faute qu'elle ait jamais commise. [...]
En France, l'immense majorité, malgré la haine que lui procure le lâche assassinat de Mers el-Kébir, souhaite malgré tout la victoire de l'Angleterre. Si les Français ne gagnent rien à cette victoire étant donné le féroce égoïsme d'Albion, ils savent cependant qu'ils ont tout à perdre d'une victoire d'Hitler.
Cependant les Français ont perdu tout espoir en la victoire de l'Angleterre. Elle n'a pas d'armée, sa flotte est impuissante devant l'aviation allemande et italienne. [...]
Voilà ce qui arrive aux pays égoïstes qui se croient en sécurité chez eux, qui font battre les autres et ne veulent pas s'engager eux-mêmes à fond. L'Angleterre a empêché la France d'organiser sa victoire de 1918 et elle a permis le relèvement de l'Allemagne, de crainte que la France soit trop forte. Elle a jeté l'Italie dans les bras de l'Allemagne pour une triste affaire coloniale. Elle a provoqué la guerre de 1939 et abandonné la France en pleine bataille. Elle est seule

aujourd'hui et à deux doigts de la catastrophe finale. Les Français néanmoins, aigris, découragés et déçus, souhaitent son succès mais ils n'y croient plus.
Salutations.

n. s.

P.S. : Les Anglais ne sont même pas capables de bombarder les villes allemandes et italiennes, ce qui aurait le plus grand effet sur les peuples. Votre radio est grotesque et insultante pour les Français.

LA PAROLE DU CENSEUR

Ce courrier d'un ancien combattant de 1914-1918, fait prisonnier au mont Kemmel le 25 avril 1918, est passé entre les mailles du contrôle postal. Un censeur patriote, après avoir ouvert la lettre, l'annote et la laisse partir. Quelques semaines plus tard, la missive est à Londres.

LYON, 29 JUILLET 1940

Je ne veux pas jeter la pierre à nos soldats de 1940 car ceux d'aujourd'hui auraient valu ceux d'hier, mais ceux qui auraient dû les mener à la victoire n'ont même pas eu le cœur de les conduire à la retraite, ils les ont laissés se débrouiller seuls dans la honte et la déroute. Je l'ai vu avec le cœur gros et je ne puis encore le croire. Heureusement vous l'avez compris, vous êtes partis à temps pour préparer la victoire future, malheureusement beaucoup de Français ne comprennent pas encore. [...] Harcelez le Boche sans cesse encore et toujours. [...] Je suis de tout cœur avec vous.

Un ancien poilu

Le censeur ajoute : Toutes mes amitiés à tous, à vous qui avez le courage de lutter pour la liberté.

« Les Anglais ne sont même pas capables de bombarder les villes allemandes et italiennes, ce qui aurait le plus grand effet sur les peuples. Votre radio est grotesque et insultante pour les Français. »

Marseille, 29 juillet 1940

Marseilles 30.7.40 — 29 Juillet 1940 — Not Acked. by ... mike — 47 — L S

Monsieur

Bien avant l'offensive des Allemands en Belgique je vous ai fait part des vives appréhensions des Français sur la nullité de l'aide apportée par les Anglais pour la conduite de la Guerre. J'exprimais l'avis que l'alliance Franco anglaise entre peuples qui ne se sont jamais compris ne pouvait amener que la débacle de chacun deux. Les événements m'ont donné raison et les ont même dépassé mes prévisions les plus pessimistes.

L'Angleterre qui possédait "l'intelligence service" a fait preuve d'une ignorance complète des réalités. Elle ignorait la force de l'Allemagne, elle ignorait encore plus l'insuffisance et la désorganisation de la force Française sans quoi à moins de posséder la plus formidable bêtise, elle n'aurait pas engagé cette guerre ni forcé comme elle l'a fait, la France a lui emboiter le pas.

Les Français ont été et sont fatigués d'entendre votre presse et votre radio répéter cent fois par jour que vous êtes les plus riches et les plus forts et que vous vaincrez avec le concours du Canada, de l'Australie des Indes de la nouvelle Zélande des Cafres et des Hottentots tout cela est du verbiage et ne tient pas devant la réalité des faits.

La réalité est que des l'affaire de Norvège il a été démontré en France que nos pays étaient perdus, que l'angleterre ignorait tout, puisquelle faisait poser des mines pour empêcher de passer en Norvège les allemands qui s'y trouvaient déjà!!? que la flotte Anglaise a été complètement anihilée par l'aviation allemande puisquelle n'a jamais pu pénétrer dans le Skagerack pour empêcher les allemands de ravitailler et soutenir leurs troupes de Norvège.

Le blocus a été de tous temps et même en 1914 une arme complètement inefficace. il le sera de moins en moins à l'avenir et ne servira qu'a créer de nouveaux ennemis a l'Angleterre

Le tort immense de l'angleterre a été de négliger complètement son armée terrestre. mais les anglais ne veulent pas se battre ils préferent laisser battre les autres, s'ils sont bon marins ou aviateurs ce sont de déplorables fantassins incapables de résister à une attaque quelconque de forces organisées. L'angleterre n'avait donc pas d'armée terrestre, les force qu'elle a envoyés en France en 1940 étaient ridiculement faibles mal entrainées et ne possédant pas le matériel nécessaire. dès lors il était mathématiquement impossible à la France, mal armée mal outillée et assez demoralisée de résister à la ruée de plus de 200 divisions allemandes supérieurement armées et entrainées Le résultat n'était pas douteux et il ne s'est pas fait attendre.

En cela l'angleterre a fait preuve de la plus formidable incurie

Transcription pages 38-39.

UN PROFESSEUR DES FACULTÉS

Face à la censure et au risque de délation, des correspondants choisissent de se signaler par leur fonction en signant un ancien poilu, une institutrice, un professeur... plutôt que par leur nom. Un indice précieux qui permet à la BBC de mieux appréhender l'univers de ses auditeurs.

5 AOÛT 1940

À la Légion française

Ce qui est honteux dans la direction politique actuelle de ce pays : la loi retirant la qualité de français et confisquant les biens aux citoyens français qui ont émigré à l'étranger, en particulier aux Juifs ; la parodie de procès qui va se tenir à Riom*, la campagne odieuse et perfide faite chaque jour par la radio et la presse françaises contre l'Angleterre, sans parler du pillage systématique des richesses françaises par les Allemands pourvus de francs qui ne leur coûtent rien. Toutes ces ignominies sont mises pour nous sur le compte d'Hitler, pour notre malheur, notre maître passager. Beaucoup d'entre nous auraient voulu que le gouvernement Reynaud remette la totalité de la flotte française à l'Angleterre avant d'offrir l'armistice aux Allemands, ce qui aurait évité la pénible destruction de navires par la marine anglaise. La grande majorité des Français sait que seule la victoire du peuple anglais nous délivrera de nos chaînes.

Le paysan et l'ouvrier français, s'ils font souvent choix de mauvais représentants au Parlement, ont fréquemment une grande finesse naturelle et un jugement que la presse influence peu. [...]

Vous pouvez utiliser cette lettre à toutes fins utiles.

Je suis obligé de garder l'anonymat. Mais je ne veux pas terminer sans vous dire ma très grande admiration

* Le gouvernement de Vichy veut condamner les dirigeants de la IIIe République, jugés responsables de la défaite, dont Léon Blum et Édouard Daladier. Le procès, plusieurs fois repoussé, s'ouvre à Riom le 19 février 1942. Il est suspendu le 15 avril. Blum et Daladier sont livrés aux Allemands et déportés.

personnelle pour l'œuvre de la Légion française*. C'est elle qui a gardé l'honneur et la tradition de la nation.

Un professeur des facultés de France

P.S. : Nous écoutons avec un intérêt passionné la radio anglaise (en particulier les émissions françaises). C'est la seule voix franche et noble qui nous parvienne. Que la BBC soit remerciée du fond de notre cœur, ainsi que la Légion française (émission de 20 h 25).
Beaucoup de jeunes Français voudraient s'engager dans la Légion française. Mais le voyage en Angleterre est rendu chaque jour plus difficile et périlleux.

* Le 1er juillet 1940 est créée à Londres une première « brigade de la Légion française ». C'est la naissance des Forces françaises libres (FFL).

LA TRAGÉDIE ALSACIENNE

Profitant d'un séjour à Bâle, un certain Ruidergnecht adresse à la radio de Londres cette lettre de renseignements sur l'Alsace annexée et nazifiée. Prudent, il demande toutefois aux Anglais de faire disparaître son nom du document d'accompagnement.

Bâle, 10 août 1940

Messieurs,
Les Allemands considèrent les Alsaciens comme des Allemands. Les anciennes frontières sont rétablies, les inscriptions françaises disparaissent partout dans les bureaux d'administration, sur les affiches*. Le salut de l'Allemagne est Heil Hitler. Néanmoins cela ne se fait pas à 100 %. [...] L'Alsace est mise sous cloche : ni poste ni journaux ne peuvent passer. La frontière vers la Suisse est hermétiquement fermée. On ne tolère que rarement des entretiens verbaux à distance de 30 m sur la frontière entre deux personnes se trouvant séparées par la frontière.

* L'armistice ne précise pas le sort de l'Alsace. Mais dès juillet 1940, la frontière de 1870 est rétablie. Dirigée par le Gauleiter Wagner doté des pleins pouvoirs, l'Alsace redevient une terre allemande, où toute influence française est interdite, et où s'appliquent les lois du IIIe Reich.

Avant-hier les Allemands ont fait partir une grande quantité de Français de Mulhouse qui ne sont pas « Deutschtäming » c'est-à-dire alsaciens par la naissance. Trente kilos de bagages à faire dans une demi-heure en présence d'un surveillant allemand, 5 000 francs ont été autorisés, le surveillant leur a d'abord lu un papier, que ce n'était qu'à titre de représailles du traitement des Allemands subi en 1918*. Mon enquête a établi qu'effectivement on a traité ainsi des Allemands en Alsace en 1918 entre l'armistice et la paix. De même, il a été proclamé toute propriété acquise par des Français après 1918 comme confisquée par le Reich. Les Français expulsés ont vu confisquer tous leurs biens restants. En 1918, on avait permis aux Allemands expulsés de venir prendre leurs meubles, par contre les immeubles ont été séquestrés et vendus. Toute l'administration est occupée aux postes importants par des Allemands. Le système allemand est imposé partout. Ils ont laissé subsister tout de même provisoirement les allocations familiales inconnues par eux.

* L'administration française a expulsé d'Alsace près de 130 000 Allemands après le 11 novembre 1918.

Hier, « schlagartig *[brusquement]* », les timbres allemands ont été imposés. La France est devenue le 12 août « Deviseausland », c'est-à-dire que, sans autorisation du Finanzart, la sortie d'argent vers la France est interdite. [...] Les Juifs à Mulhouse ont été rassemblés à la synagogue, les femmes obligées de nettoyer les casernes (WC compris), les hommes à arracher les mauvaises herbes. Leur travail a été soutenu par des coups de pied. Ils ont été obligés de prononcer en cœur « wir Juden sind schuld am diesen Krieg *[Nous, les Juifs sommes responsables de la guerre.]* ». [...] C'est une honte.

Un Français d'Alsace

Le parti nazi, seule organisation politique autorisée, orchestre défilés et rassemblements à Colmar.

LES VRAIS FRANÇAIS

Scandalisé par l'abandon de l'allié anglais, et horrifié par l'affaire de Mers el-Kébir, le 3 juillet 1940, un Français se demande si l'Allemagne n'est pas préférable à l'Angleterre...

Béziers, 21 août 1940

Vous paraissez prendre de temps en temps la défense de tout ce qui a fait ou conduit aux malheurs de la France. Amateurs de Front populaire, francs-maçons, Juifs internationaux, semblent trouver auprès de vous un refuge à leurs récriminations. Quel malheur pour eux d'avoir perdu leurs prébendes ou un peu de leur richesse ! Vous employez, en outre, les grands mots de « Liberté, égalité, fraternité » qui étaient restés lettre morte et signifaient en fait en dernier lieu « licence, paresse, égoïsme ». En un mot, vous utilisez assez souvent le vocabulaire de nos politiciens détestés naguère, profiteurs d'un régime vermoulu. C'est pourquoi il serait agréable à beaucoup de Français de vous entendre emprunter un langage simple, de bon sens, cherchant à réaliser, dans le malheur, l'union entre les Français, sans se mêler des affaires intérieures de notre pays. Dans cet ordre d'idées, il est du plus fâcheux effet de voir votre radio devenir le canal par lequel des Français insoumis font entendre une voix discordante, quand ce n'est pas celle de la révolte, et essaient en vain de discréditer l'œuvre de redressement entreprise par de vrais Français, ceux de Vichy, selon votre expression si défavorablement accueillis. En agissant ainsi, vous allez à l'opposé de ce que vous recherchez. [...] Votre lutte méritoire est suivie avec passion par de très nombreux Français qui pouvaient se dire que si l'Angleterre l'emportait, ce serait la libération du pays, l'assurance de son intégrité, quelle joie ! Mais, avec une telle propagande, ils sont parfois conduits à penser – ces réflexions m'ont été faites – qu'avec la victoire de l'Angleterre, ce serait le retour au lamentable gâchis d'avant-guerre, qui a conduit au désastre, ce serait à nouveau le Front populaire avec des chefs internationaux. Dieu nous en préserve ! De la sorte, vous les poussez à penser en définitive, que ce ne serait peut-être pas préférable à la victoire de l'Allemagne. Pourtant ce n'est pas là, j'en suis sûr, le but recherché.

n. s.

UNE PAIRE DE CHAUSSETTES

Symbolique attention d'une Havraise, habitant près de l'entrée du port de la ville. Elle-même exposée aux terribles assauts de la guerre du ciel, elle s'inquiète, avant tout, des bombardements qui meurtrissent l'Angleterre. Comme de nombreux auditeurs, elle fait l'effort d'écrire quelques mots en anglais.

Le Havre, 7 septembre 1940

Monsieur,

J'ai l'occasion d'adresser une lettre en Angleterre et je demande à cette personne d'avoir la gentillesse de faire suivre celle-ci. [...] J'ai tricoté une paire de chaussettes pendant l'émission française du soir et j'aimerais pouvoir les expédier avec cette lettre, mais je n'ose en charger le sympathique « facteur », grand ami de la France, qui est déjà bien encombré. Mais je ne désespère pas de les envoyer plus tard. Je suis sûre que nos sœurs anglaises nous suppléent auprès de nos soldats et tricotent à notre place les chaussettes que nous ne pouvons plus leur adresser et que nous faisons encore quand même. Je m'excuse d'être un peu bavarde et je vous assure, Monsieur, de mes sentiments les meilleurs.

Yvonne

With my apologies for not giving you my full name but one has to be very careful these days in case this letter is lost in the mail.

Avec sa lettre destinée au speaker Pierre Bourdan, du 29 mars 1941, un homme dessine la situation de la France en juin 1940. Il signe « un vrai de l'infanterie d'Algérie, classe 1912 ».

Allemagne

Notaire 卐

Succession

Hitler

Ça y est Pierre?

Flandin

— Adolph! Allons Benito – dépêchons
— Benito! Ça y est Pierre?
— Flandin! Je pousse
— Gal de Gaulle – Pas encore!!
— Adolph – quel est celui-là?

26 – Juin 1940 –

LE PILLAGE

Au traumatisme de la défaite s'ajoute celui du pillage pratiqué sur tout le territoire par les vainqueurs. De nombreuses lettres adressées à la BBC se font l'écho des sentiments de haine et d'écœurement face à cet acte odieux.

Clermont-Ferrand, 9 septembre1940

Monsieur,

On n'imagine pas à quel point les Allemands nous dépouillent sans vergogne, non seulement en zone occupée, mais aussi dans l'autre. Aujourd'hui même des messieurs sont venus réquisitionner 60 wagons de bétail. Tout ce qui pouvait être enlevé, y compris les vaches prêtes à véler, a été « raflé ». Il reste pour la ville de Clermont 200 moutons pour assurer le ravitaillement de la semaine. La semaine dernière, ils avaient procédé de la même façon sur les porcs. Ils pensent après cela nous parler de leur humanité, de leur esprit chevaleresque. On arrive à se demander en dehors de l'assassinat des individus et du pillage non organisé ce qu'ils pourraient bien nous faire de plus. Les méthodes de ces chevaliers ont plus fait pour la cause de l'Angleterre que toutes les émissions du monde. Ils ont beau nous parler de la perfide Albion, nous comparons et nous jugeons. Naturellement, pas un de nos gouvernants ne pourra dévoiler ce pillage. Mais il faut que cette situation soit connue, et j'ose espérer qu'il se trouvera un « censeur » assez français pour laisser passer cette lettre afin que le monde entier sache de quelle façon la mansuétude allemande s'exerce à notre égard. Bon courage, Messieurs, et que Dieu sauve l'Angleterre et la France.

[Le censeur a ajouté]

Il n'en manque pas qui écoutent aussi les émissions de la BBC faisant des vœux pour le triomphe de la cause des Alliés si héroïquement soutenus par l'Angleterre.

DES HOMMES NOUVEAUX

Les auditeurs entretiennent parfois une longue correspondance avec la BBC. Ainsi cette habitante de Tarbes envoie des missives de plusieurs pages, conçues comme un journal dans lequel elle consigne ses impressions au jour le jour.

10 SEPTEMBRE 1940

Chers amis,

Qu'une poignée d'hommes de chez nous ait pu délibérément plonger notre pays dans cette détresse, cela dépasse l'inacceptable. Et quels hommes ! Un maréchal de France, ancien ministre, ambassadeur de la veille et, de surcroît, âgé de 84 ans. À cet âge, avec de tels titres, un tel passé, on doit avoir de l'expérience. On ne peut pas admettre qu'un tel homme ait pu se laisser duper par naïveté. Et les autres ! Ceux que la radio franco-boche se plaît à appeler des « hommes nouveaux* » et qui sont au couloir des Chambres ce que les chauves-souris sont au trou des murs, ils n'ont pas pu capituler par surprise.

[...] Des hommes nouveaux, cet attelage minable traîné par un vieux cheval poussif !!! Des hommes nouveaux, ceux-là qui ont eu le triste courage de condamner à mort un général de France, coupable d'être brave, d'aimer son pays et de le vouloir arracher aux griffes des vampires, coupable aussi d'avoir su leur dire à la face du monde qu'ils sont des lâches. Hommes nouveaux ! Ceux qui sont en train de détruire ou de laisser détruire, démolir, piller, saccager tout ce que la démocratie avait fait de bien, de beau, de grand !

En fait, ce sont bien des hommes nouveaux car leur exemple est sans précédent dans l'histoire. Le général de Gaulle ! Sait-il quels sentiments d'admiration et de profonde gratitude montent inlassablement vers lui de tous les coins de France !

* Le maréchal Pétain entend régénérer le pays par la Révolution nationale : apurer les comptes, assainir les instances dirigeantes, redonner une santé physique et morale à la France, et promouvoir des hommes non liés à la IIIe République, la « gueuse » honnie. Radio-Paris, contrôlée par la propagande allemande, sert de relais médiatique à la nouvelle politique.

Quel souffle vivant, quel exemple aussi pour les traîtres de chez nous, si ces traîtres étaient encore capables de concevoir autre chose que le prix de leur trahison.
Notre admiration va aussi sans mesure à tous ces grands garçons si modestes de la RAF, dans l'accomplissement de leurs formidables randonnées destructrices qui font baver de rage Hitler et se tordre la gueule de porc de Mussolini.
Nous partageons très affectueusement les dures épreuves que vous traversez en ce moment et nous souhaitons bon courage pour les supporter, ce courage qui est pour vous le meilleur des réconforts en même temps que le plus beau des exemples.
Affectueuses pensées à tous et à toutes.

Une Française

LE VILLAGE À L'ÉCOUTE

Dès les premiers jours de l'Occupation, les habitants d'un petit village du Sud-Ouest découpent la photographie du général de Gaulle dans la presse française. Ils la conservent ensuite avec vénération, telle une relique.

Quelque part en France, 15 septembre 1940

Tout le village se réunit chaque soir dans les cinq à six maisons qui ont des postes assez forts pour capter sur ondes courtes car il nous est impossible de prendre sur ondes moyennes à cause du brouillage. Et même sur ondes courtes nous avons parfois de la peine à vous entendre, surtout à midi. Nous suivons cependant vos conseils et nous cherchons toutes vos ondes. Par contre, il est des jours où l'émission est si claire qu'il nous semble vous avoir dans la pièce à côté. Bien des gens dans le pays font des économies pour acheter un poste plus puissant et pouvoir vous prendre.

La jeunesse chante : « Radio Paris ment » et tous les autres slogans si amusants. Nous envoyons un salut tout spécial aux « Trois amis » qui sont deux.
Chers amis, continuez sans jamais vous décourager.
Ce que nous voudrions savoir, en dehors des opérations militaires, c'est ce qui se passe en France, en zone occupée. Nous n'avons aucun renseignement à ce sujet. Les gens se révoltent-ils, font-ils du sabotage ? Quel est leur moral et celui des soldats allemands d'occupation ? À croire certaines rumeurs qui circulent ici, le moral de ces derniers ne serait pas très fameux. Ce qui les décourage le plus, c'est la pensée que la guerre sera encore longue, ce sont les bombardements de Berlin et des autres villes allemandes où se trouve leur famille et le manque de nouvelles de leur famille. Car il paraît qu'ils ne peuvent pas écrire avec les leurs. Serait-ce vrai tout cela ?

*Je signe symboliquement : **Espérance***

FRÈRES DE DOULEUR

D'une petite ville des Vosges, où la foi reste invincible, un ingénieur, ancien combattant, dénonce les actes vils de l'occupant. Dans une lettre poignante, il s'émeut du sort des tirailleurs sénégalais engagés en 1940.

19 SEPTEMBRE 1940

Chers camarades français,
Le 22 juin au matin après une résistance de quelques heures, notre petite ville a vu la souillure d'une invasion. Mon cœur d'ancien combattant a connu pendant quelque temps une affreuse détresse et plus d'un d'entre nous n'a pu retenir ses larmes derrière les fenêtres closes en voyant le défilé et les chants pleins d'orgueil de l'ennemi de toujours. [...]

Tirailleurs sénégalais lors de la bataille de France en mai-juin 1940. Les troupes coloniales furent essentiellement envoyées dans les Ardennes, sur la Somme, au nord de Lyon et près de Chartres.

Le pillage a duré une semaine, les magasins fermés, les maisons vides de locataires ont été pillées. Depuis, le pillage continue sous une autre forme, celle des réquisitions avec ou sans bons, ces derniers étant sans valeur, c'est du vol simplement. Perquisition dans les maisons, vol de linge, de provisions de famille en présence des habitants.
L'acquisition des matières fabriquées dans les usines, surtout des pièces de tissus. Perquisition chez les cultivateurs qui doivent déclarer jusqu'au nombre d'œufs récoltés. Toute matière grasse, le moindre bout de lard est enlevé du fumoir familial.
Après les vols, la cruauté. Lors de l'entrée des troupes ennemies ici, quelques tirailleurs sénégalais* ont dû comme les autres se replier. L'un d'entre eux égaré dans une ruelle et cerné s'était réfugié dans un grenier à foin. Ce Sénégalais, citoyen français, combattant malheureux, devait bénéficier des lois de la guerre, prisonnier comme les autres, mais c'était un Noir, il a été fusillé immédiatement et enterré près d'un fumier, sa tombe est toujours là, et chaque jour l'on passe devant. À Épinal, un contingent de ces mêmes Sénégalais prisonniers se voit infliger le traitement le plus inhumain, sous-alimentation complète, travaux extrêmement pénibles, ces Français de couleur ne doivent pas survivre. Lors du passage d'un groupe de prisonniers dans une petite ville des environs, une femme a donné un peu de chocolat à un de ces tirailleurs. Le Boche l'a repoussée avec la crosse du fusil et des menaces. Voilà comment sont traitées nos troupes coloniales, vaillants soldats de la plus grande France, frères de couleur. Il faut aux confins du Tchad, de village en village, que ces faits se propagent, vous le pouvez par la voie des ondes. Il faut enflammer toute

* Près de 180 000 tirailleurs sénégalais sont mobilisés au 1er avril 1940. 40 000 sont engagés dans les combats en métropole. Près de 17 000 sont tués, disparus ou blessés lors de la bataille de France.

l'Afrique française de la Méditerranée au golfe du Bénin*.
Il faut que la haine et la vengeance deviennent pour les 40 millions d'Africains le « Ceterum censeo » de Caton. Combien d'autres faits comme ceux cités se sont produits à l'égard de nos troupes coloniales, combien de fusillés, massacrés, traités de la façon la plus inhumaine ? N'hésitez pas à dévoiler ces faits, nos colonies doivent savoir ce que serait pour eux la domination allemande, ceux du Cameroun doivent se souvenir.

S. A.

* Selon l'armistice, l'empire colonial reste sous l'autorité du gouvernement de Vichy et n'a pas été occupé. Dès l'été 1940, les colonies commencent à se rallier à la France libre et deviennent un enjeu majeur pour de Gaulle dans la libération du pays.

UN APPEL À L'AIDE

Chaque soir, une jeune fiancée écoute la BBC dans l'espoir d'entendre enfin la voix de son bien-aimé…

D'un village du Gard, France, 25 septembre 1940

Monsieur,
J'ose venir vous demander un immense service. Peut-être allez-vous me trouver trop impétueuse. Je me risque tout de même.
Je suis une jeune fille et mon fiancé est en Angleterre. Oui, il est parti de son école d'aspirants d'infanterie de Fontenay-le-Comte en Vendée pour tâcher de rallier l'Angleterre. Depuis le 20 juin, où il nous écrivait la veille de son départ pour nous embrasser une dernière fois, nous n'avons plus rien eu, sa famille et moi, qu'un télégramme arrivé chez lui le 31 juillet et expédié d'Angleterre.
[…] Il est affreux de vivre sans nouvelles. Nous avons écrit, la famille de mon fiancé et moi, par l'intermédiaire de Tanger, de la Suisse. C'est d'ailleurs ainsi que ma lettre, je l'espère bien, vous parviendra. Nous savons que toutes nos

précédentes sont parties mais n'avons jamais eu de réponse… Voilà bientôt deux mois !
J'ai entendu parler quelques volontaires la semaine dernière et j'espère toujours que je vais reconnaître sa voix à lui. Peut-être connaissez-vous tous les noms de camps de volontaires français ? […] Peut-être aussi, et c'est ce que j'ose à peine demander, pourriez-vous lui faire dire quelques mots un soir ou nous rassurer vous-même si vous avez pu savoir s'il vit encore et qu'il est en bonne santé ? Je suis certainement bien maladroite, mais imaginez notre anxiété, et cette ignorance absolue de votre existence là-bas, de votre nombre.
Je vous donne donc la même fiche de renseignements que celle que j'ai envoyée à la Croix-Rouge quand je ne savais pas où il était. « Claude Robédat né à La Calle (Algérie), le 18 décembre 1918. Incorporé au 4e zouave de Tunis en novembre 1939. Élève aspirant à Fontenay-le-Comte (Vendée) en mai et juin 1940. » A télégraphié de Farnsborough le télégramme suivant : « Claude bonne santé. » Peut-être nos lettres ne l'ont-elles jamais atteint ? […] Je suis bien confuse, croyez-moi bien, monsieur, de mettre laisser aller à vous raconter tout cela, d'avoir été peut-être trop osée dans la demande. Il me semble que, malgré tout, vous ne m'en tiendrez pas rancune. Nous avons tant besoin de votre indulgence et de votre pitié pour nous !
Je ne veux pas vous quitter sans vous dire que nous demandons tous à Dieu de vous garder et de nous donner la victoire.

signature illisible

« Pourriez-vous
dans une de vos émissions
du soir me donner un moyen
de rejoindre l'Angleterre,
car je voudrais servir
mon pays jusqu'à
sa complète délivrance
du jour hitlérien.
Recevez mes civilités
très expresses. »

Une Française qui a honte de l'être en ce moment,
le 25 juillet 1940

LETTRE À WINSTON CHURCHILL

Le courrier s'avère un vecteur idéal pour interpeller en haut lieu, à l'image de cette lettre adressée à Winston Churchill.

NIORT, 7 OCTOBRE 1940

Monsieur le Premier ministre,
C'est un devoir pour moi d'exprimer à la nation anglaise mon entière admiration et la reconnaissance du malheureux peuple français.
[...] Merci pour la généreuse hospitalité donnée aux Français
Merci pour l'aide apportée au général de Gaulle et à son armée de l'air, de terre et de mer.
Merci pour votre désir de nous ravitailler dès qu'il sera possible.
Enfin et surtout merci pour la bienveillante indulgence témoignée à notre peuple, dont les gouvernants ont été ici infidèles aux engagements signés au nom du peuple tout entier.

Une Française respectueuse

BORDEAUX OCCUPÉ

Le soutien et la fidélité à la radio de Londres passe parfois par l'envoi de renseignements sur la présence des troupes allemandes. Par ces simples mots, les auditeurs pensent contribuer à la victoire future des Alliés.

30 OCTOBRE 1940

Messieurs,
Je viens de passer deux mois dans la zone occupée et je peux vous dire que là-bas la grande majorité de la population est en communion d'idées avec vous et désire votre victoire.
Au début de l'Occupation, les opinions étaient un peu flottantes. Les Boches s'étaient plutôt efforcés d'être aimables,

ils faisaient des grâces avec leur lourdeur habituelle ! Mais leur rudesse et leurs grossièretés coutumières n'ont pas tardé à reparaître en même temps que leur manque de tout. Défilés dans les rues des troupes revenant de l'exercice en chantant à tue-tête, interdiction à la population de Bordeaux de traverser la place de la Comédie au milieu de laquelle un immense drapeau à croix gammée est installé [...], les vexations quotidiennes, jointes à tant d'autres que je passe sous silence, ont fait comprendre à la population ce que vaut la vraie « correction » de ces « messieurs ».
[...] Voici quelques détails qui peuvent vous intéresser. Les Boches ont fait clôturer par des palissades de bois hautes de 3 m tous les bassins à flot du port pour empêcher que l'on voie ce qui se passe derrière. On parle d'une base de sous-marins. Les usines mécaniques travaillent à la construction de radeaux et montent des morceaux de liège pour en faire des ceintures de sauvetage.
Les bateaux marchands se trouvant à quai sont en travaux de camouflage et d'installation pour transporter des troupes. Il y a le *Malgache*, le *Ville de Metz*, l'*Île d'Aix* et les trois autres dont je n'ai pas les noms. D'autre part, amarré contre le quai, il y a le *Baudornville* qui sert de logement aux officiers de la marine. Ces messieurs sont méfiants, ils ont fait construire des tranchées sur le terre-plein à 50 m de leur bateau.
Nous attendons de votre victoire la libération.
Nous souffrons de vous savoir en danger mais nous avons confiance. Dieu vous donnera la victoire.

P. B.

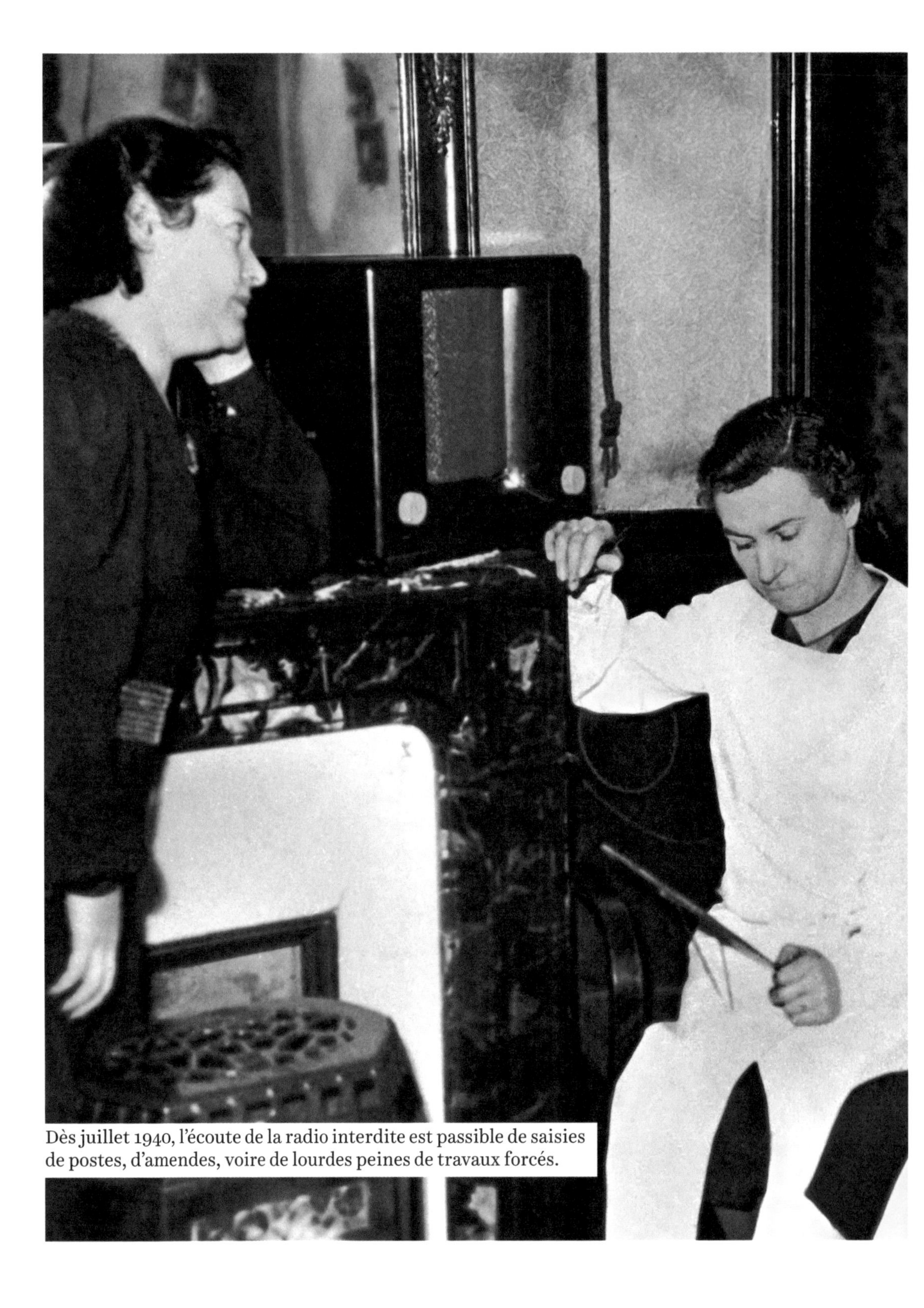

Dès juillet 1940, l'écoute de la radio interdite est passible de saisies de postes, d'amendes, voire de lourdes peines de travaux forcés.

25 French Reaction
Anon

L

30 juin 1940

G

EC

Pour que les Français puissent entendre la voix de votre radio, il faut que la personne qui parle, parle très très fort pour que sa voix puisse dominer le bruit produit par l'ennemi. Nous sommes tous à l'écoute le soir à 10 heures.

Un groupe de bons Français

N.B. Opened & passed
Mitchley Censor

LES POSTES DE RADIO CONFISQUÉS

Cette auditrice qui signe « Une maman » *entretient durant toute l'Occupation une correspondance régulière avec les hommes de Londres. Plusieurs de ses lettres sont parvenues à destination. D'origine populaire, soucieuse des autres, à l'image d'une mère protectrice, elle entend prévenir ses compatriotes du danger que représente l'écoute de Radio Londres.*

Nîmes, 8 décembre 1940

Chers amis de la BBC,

Ce matin une voisine qui est une fidèle auditrice de vos émissions m'a signalé une manœuvre de la Gestapo afin de me mettre en garde. Je la signalerai à mes amis mais je crois qu'il serait nécessaire que vous préveniez vos auditeurs par radio : un monsieur et une dame ayant toutes les adresses des personnes ayant des postes déclarés se présentent aux maisons et offrent des lampes permettant, disent-ils, de mieux entendre Londres. Ils s'en vont signaler à la police qui arrête vos auditeurs. Je ne sais si elles sont retenues longtemps mais le plus embêtant, c'est la confiscation du poste car au prix qu'est la vie, il est difficile de le remplacer. Plusieurs personnes ont déjà été arrêtées à Nîmes. Heureusement que nous sommes en zone dite libre.

La nourriture se fait de plus en plus rare. Le Français perd patience. Les manifestations ont lieu de tous les côtés. On arrête beaucoup de personnes que l'on dit communistes : cela n'est plus qu'un mensonge car il y en a d'autres arrêtées qui n'ont jamais fait de politique. [...] Avant peu de temps, ça va changer. De partout on entend : vive le général de Gaulle. Si vous saviez ce que ça nous fait plaisir à nous qui vous suivons depuis l'armistice. Les esprits se réveillent. Les mamans disent nous n'avons pas mis nos enfants au monde pour qu'ils soient boches. Ça me ferait bien mal au cœur de

voir, moi aussi, mon fils défiler au pas de l'oie. Il y a des Français qui n'ont pas désespéré.
Heureusement, ainsi, il nous reste un peu de fierté d'être français. En attendant de nous venger. Notre joie est grande de voir la défaite des Italiens, nous applaudissons à toutes les avancées grecques. [...]
Pauvre France. Venez vite à son secours.

Une maman

POUR LA NATION

Du midi de la France où il est réfugié, ce témoin lorrain fait parvenir sa lettre via Lisbonne. Il dit constater un réveil de la fierté nationale : le peuple semble se ressaisir, reprendre confiance et courage après le coup de massue de juin.

NÎMES, 15 DÉCEMBRE 1940

Messieurs,
Aujourd'hui, 175e jour d'oppression et de souffrances morales, jour de l'anniversaire de Sa Majesté le roi d'Angleterre. Combien voudrions-nous fêter avec vous cet événement. Aujourd'hui également, jour du débarquement de Laval*, appelé le « biseauteur » par les Lorrains expulsés. Aujourd'hui, également, commence la déroute des Italiens en Libye. Bonne semaine en vérité.
Petit industriel de l'Est, réfugié dans le Gard, je pourrais facilement remonter dans la zone interdite pour travailler avec les grosses usines métallurgiques de Meurthe-et-Moselle. Eh bien non ! Malgré la perspective de gagner de l'argent, je préfère vivre ici dans des conditions très modestes. L'intérêt de la nation passe avant tout.
J'ai dépassé l'âge des obligations militaires et malgré cela vous pouvez compter sur mon engagement dans l'armée de

* Le 13 décembre 1940, Philippe Pétain limoge brusquement Pierre Laval, dont l'impopularité croissante risque de rejaillir sur le régime. Il est remplacé par Pierre-Étienne Flandin, puis par l'amiral Darlan.

De Gaulle ainsi que celui de mes deux fils, dès que les armées alliées seront en France. Ceci est un engagement solennel. Depuis juillet, aucun journal n'est rentré dans mon foyer, les informations françaises ne sont jamais écoutées. L'attitude de nos publicistes est tout simplement lamentable. Le recrutement de la 5e colonne doit se faire dans ce milieu-là. Quels ravages font ces ignobles personnages au point de vue du sentiment de certains Français envers notre amie l'Angleterre. Cette campagne anti-anglaise est révoltante.

Un Français, père de famille nombreuse,
qui veut rester français

SUR LA LIGNE DE DÉMARCATION

Témoignage rare, celui d'une jeune habitante de ces villes traversées par la ligne de démarcation, dont le tracé aléatoire et arbitraire bouleverse la vie quotidienne.

VIERZON, 31 DÉCEMBRE 1940

Messieurs,

Je me décide enfin à vous écrire voyant que vous recevez maintenant des lettres de France.

C'est une jeune Française qui a la chance (si cela peut s'appeler vraiment chance) d'habiter en zone libre, mais sur la limite. En effet, Vierzon est comme beaucoup de communes françaises coupée en deux par la ligne de démarcation. La partie de la ville située sur la rive droite du Cher est occupée. Bourgneuf située sur la rive gauche est libre. C'est le Cher qui fait la limite. La partie occupée est la plus importante. C'est là que se trouvent tous les grands commerces. Pour passer le barrage boche qui se trouve en avant du pont du Cher, il faut un laissez-passer. Depuis juin, c'est le troisième. Mais pour obtenir celui-ci il faut un certificat de travail. Beaucoup de

personnes ne peuvent donc y aller pour faire leurs courses. Pour aller à l'école nous en avons un.
À Vierzon, en France occupée, les maisons que les habitants avaient quittées lors de l'exode ont été occupées. Souvent les gens ne peuvent plus y entrer et, quand ils le peuvent, ils ne trouvent presque plus de linge dans les armoires. Leurs meubles sont abîmés, quelques-uns d'entre eux n'ont pas été brûlés. Les verres et les assiettes presque tous cassés. Les bouteilles qu'ils avaient dans leur cave, leurs petites réserves (conserves, confitures) qu'ils avaient faites : tout cela a disparu. À plusieurs reprises, les Boches ont ramassé les bicyclettes. Quiconque était à bicyclette dans la rue se voyait prendre sa machine en échange d'un bon payable je ne sais où. Les magasins maintenant sont à peu près vides. Tous les jours, dans n'importe quel magasin (sauf les magasins juifs), nous les voyons acheter toutes sortes de marchandises : chaussures – bas de soie – complet – chemise – vêtements de femme et aussi d'enfants – sacs ou autres objets en cuir. [...]
Notre ville est occupée depuis le jeudi 20 juin. Le pont du Cher a sauté. Et nos braves Sénégalais l'ont défendu pendant sept heures de 9 heures du matin à 4 heures du soir. Deux d'entre eux et un sergent français furent tués. Ils sont enterrés au cimetière de Vierzon. Mes camarades et moi nous allons quelquefois sur leur tombe et nous sommes allés, pour la Toussaint, leur porter quelques chrysanthèmes. [...]
Je vous quitte pour aujourd'hui. Et merci beaucoup.
Vive la France ! Vive l'Angleterre et vive notre de Gaulle !

n. s.

107
VIVE lES AllIES
en France on vous aime
Un jeune Français de 13 ans

Dessin non daté et anonyme. On trouve dans les courriers adressés à la BBC de nombreux dessins et mots d'enfants, qui montrent que l'on écoutait la radio en famille.

Ackd. by 130 Marseille le 15 octobre 40

microphone. 24.1.41.

Je ne sais si vous recevrez cette lettre, cependant puisque vous avez des chances de l'avoir je veux vous l'écrire.

Je suis une jeune fille de France, une étudiante, et au nom de tous mes camarades je peux vous affirmer que la très grande majorité des étudiants, pour ne pas dire tous, sont de cœur avec vous, Français libres puisque malheureusement nous ne pouvons, pour le moment, vous aider autrement ; je veux aussi vous assurer que, quoiqu'on fasse, nous avons gardé notre liberté de penser, que notre admi-ration, notre vénération pour le général de Gaulle, pour vous tous qui vous battez pour la vraie France est infinie, que nous sommes réconfortés lorsque

Lettre du 15 octobre 1940 écrite par une étudiante marseillaise qui signe « une petite Française ». Elle arrive à la BBC le 24 janvier 1941.

nous entendons vos émissions, qu'enfin nous
ferons tout ce qu'il sera en notre pouvoir
pour garder à la France son âme véri-
-table afin que vous la retrouviez intacte
lors de la victoire.

Pour ma part je déplore de ne pouvoir
me rendre en Angleterre, mais, malgré
tout je suis très fière car mon fiancé
s'y trouve, qu'il combat avec vous,
avec les Anglais contre notre enne-
-mi commun.

Je voudrais pouvoir signer cette lettre
pour vous montrer que je ne crains
pas de dire ce que je pense, mais
hélas la France est asservie et
je veux pas que ma famille
soit inquiétée, ne m'en veuillez pas
trop pour cette lâcheté et soyez sûrs
que toute ma pensée est

Toujours avec vous —
Une petite Française —

2. LA FRANCE ASSERVIE

Janvier-Décembre 1941

Le 29 avril 1941, une auditrice de La Seyne-sur-Mer écrit : *« Je vais essayer de vous faire parvenir ma troisième lettre et je suis un peu inquiète sur le sort de la deuxième, expédiée le 9 février dernier, car je n'ai pas encore entendu à votre radio, le vendredi de chaque semaine, votre accusé de réception »*.

En ce début d'année, depuis le 3 janvier, une nouvelle émission, « Courrier de France », est lancée par Jacques Borel sur les antennes de Radio Londres. À partir des lettres qui ne cessent d'arriver, il livre les témoignages adressés à la BBC.

1941 est une année charnière. Les difficultés matérielles, le poids de l'Occupation, les inquiétudes vis-à-vis du gouvernement de Vichy qui s'enfonce dans la collaboration, participent au revirement de l'opinion. La propagande allemande est souvent tournée en dérision, l'aura du maréchal commence à se ternir, même si le « héros » capitalise encore de nombreuses voix. *« Nous espérons fermement que notre vieux Pétain – qui ne peut faire autrement – joue un double jeu. Quelle illusion d'être trompés ! »*, écrit un correspondant de Cannes, le 2 février.

Dans un climat tendu, les preuves de gaullisme et d'anglophilie fleurissent dans les lettres comme sur les murs des villes de France, sous la forme de V de la victoire et de croix de Lorraine. Paradoxalement, l'humour devient aussi une arme pour lutter contre la morosité. *« Vous connaissez naturellement les différents noms dont on a baptisé les soldats de l'armée d'Occupation : les haricots verts, les doryphores, les grenouilles, mais connaissez-vous celui-ci : les noix vertes ? Pourquoi, direz-vous ? Mais parce qu'ils ont besoin d'être gaulés !* » (lettre de Bretagne, avril 1941).

Confronté à l'« intoxication » de la population par la radio anglaise, l'occupant accroît le parasitage des ondes ennemies, multiplie les amendes et les peines de prison à l'encontre des auditeurs, et procède à la saisie de postes de TSF, comme dans le Nord, à Douai, Comines et Wervicq, ou dans l'Eure, à Évreux. Mais la mesure la plus emblématique et la plus spectaculaire reste la confiscation de tous les postes des Juifs en zone occupée, décrétée par l'ordonnance allemande du 13 août 1941.

Face à la répression, les speakers de la BBC diffusent des conseils de prudence. Car les auditeurs, de plus en plus nombreux, continuent de « prendre Londres » : « *Tantôt sur une antenne, tantôt sur un cadre, j'arrive presque toujours à vous entendre. Le soir, si le brouillage est trop intense, je vous écoute le lendemain matin à 6 h 15 et je communique vos nouvelles aux amis* », confie un habitant de la zone libre, le 20 mars.

Dans un contexte qui semble jouer en faveur des Alliés, des Français bouillonnent et veulent tenir un rôle. « *Oui, dites-nous ce que l'on peut faire. Sur les murs, c'est fait. Les tracts, c'est fait. Mais ce n'est pas assez, nous devons anéantir les traîtres* » (lettre de zone occupée, mai 1941). Et les hommes de Londres leur répondent ! Ils lancent des appels à manifester, des mots d'ordre qui révèlent la force de résistance civile d'une partie de la population française.

Honneur et Patrie
France toujours

Au Général de Gaulle,
chef des Français libres.

Le plus joli bouquet.

Il est trois jolies fleurs, trois humbles fleurs des champs
Que l'on cueille souvent à travers la prairie
Qui, en de frais bouquets harmonieux et touchants
Viennent dans les demeures égayer notre vie.

Elles ont fait longtemps et loin des ambitions,
Dans leur simplicité rayonner sur le monde
Elles ont apporté à travers les nations
De l'idéal humain la semence féconde

Ô fleur qui le matin sourit à la clarté
Dans le cours des années tu restes la plus belle
Bleuet, couleur du ciel, ton nom est liberté.

Le 11 février 1941, une jeune Française envoie « d'un petit coin de France » un poème au général de Gaulle.

DANS LES RUES DE PARIS

Les Français qui ont le privilège de pouvoir quitter le territoire pour se rendre en pays neutre profitent souvent de l'occasion pour écrire à Londres. De passage à Lisbonne, cette Parisienne « mariée, maman et malade » *tape à la machine une lettre de témoignage contre la multiplication des affiches de propagande allemande qui inondent la capitale.*

16 JANVIER 1941

Monsieur,

Un jour en me promenant, j'aperçois une affiche, mais une affiche ! Jugez vous-même. Un soldat boche portant un enfant français dans ses bras et cet enfant mangeait une énorme tartine de pain et dessous cette inscription : « Faites confiance aux soldats allemands. » Ça alors ! Une autre affiche. Dans le lointain un amas de pierres, plus rapprochée une femme assise qui contemplait sans doute sa maison avec deux enfants auprès d'elle et dessus il y avait ceci : « C'est les Anglais qui ont fait cela. » Mais des mains françaises ont écrit ceci : « Non c'est Adolf. » Comme vous voyez nous avons rétabli la vérité. Encore une affiche. Cette fois, c'est un marin français qui sombre en mer, et dans un effort avant de disparaître il lève le drapeau français. Inscription allemande : « N'oubliez pas Oran*. » Mais Oran a disparu comme par enchantement. « Oran » a été arraché, ou effacé. Sur l'une de ces affiches j'ai lu ce qui suit : « N'oubliez pas... 1870-1914-1918. » [...]

J'ai lu que toute personne surprise à détruire une affiche s'exposait à des peines extrêmement sévères.

Une Française, Marie-Lise

P.S. : Je dois ajouter une chose qui est vraiment dans notre cœur : c'est que nous aimons le maréchal Pétain, mais Pétain seul.

* Cette affiche publiée par la propagande allemande en zone occupée fait référence à l'affaire de Mers el-Kébir, près d'Oran.

« LA MARSEILLAISE » REVISITÉE

Sur une simple feuille à carreaux, arrachée d'un cahier d'écolier, une Nîmoise revisite, à la plume, La Marseillaise, *proscrite par Vichy. En cette région de France, l'occupant italien concentre tous les griefs et les railleries.*

NIMES, 18 JANVIER 1941

Cette petite chansonnette sans prétention dit ce que l'on pense. Puissiez-vous la recevoir et nous la chanter au poste à 18h15 où beaucoup de maisons vous écoutent tous les soirs.

« La Marseillaise italienne »
Allons enfants de l'Italie
Le jour de fuite est arrivé
Il nous faut quitter l'alliance
Si nous ne voulons pas crever (bis)
Entendez-vous dans les montagnes
Le cri de ces terribles soldats
Qui approchent de France
Et nous donnent la « cagagne » (patois provençal)

signature illisible

L'ESPRIT DE MOLIÈRE

Il se présente comme un vrai démocrate, ce Français épris de liberté qui adresse une longue lettre dactylographiée au Général. Avide d'hymnes militaires et de chansons patriotiques, il manifeste son désir d'en découdre avec l'envahisseur.

EN FRANCE OCCUPÉE, 22 JANVIER 1941

Mon Général,

Après bien des recherches infructueuses, je crois avoir trouvé un moyen pour qu'au moins un exemplaire de cette

lettre adressée par plusieurs chemins vous parvienne. Obéissant aux instructions et répondant aux appels de votre radio libre lors de ces émissions du soir « Lettres de France »*, à mon tour je vais essayer de vous apporter quelques échos de la région où je vis sous la botte allemande. Habitant un grand port de la Manche, [...] je crois aujourd'hui être l'interprète de tous ces amis qui de par leurs fonctions touchent un grand nombre de familles françaises, prises parmi les plus intéressantes. [...] Vos émissions sont écoutées avec attention et plaisir. Le Français est toujours resté frondeur, aussi nous demandons que celles-ci soient encore plus caustiques et plus renouvelées dans leur esprit. Le ridicule tue, faites-le le plus varié, plus mordant, que l'esprit de Molière soit présent à leur formation, que vos attaques respirent une verve chaque fois plus mordante. Que ces attaques ne soient jamais empreintes de trivialité. Le Français de toutes classes aime la fine charge, subtile et rosse. Continuez dans cette voie, c'est la bonne.
[...] Le grand port où j'habite a été très éprouvé par les bombardements de la RAF. [...] Des docks, des écluses, des ponts, des hangars, des quais ont été sévèrement touchés, des bassins à flot immobilisés. Des personnalités allemandes du monde militaire ont été tuées au cours du mitraillage du Grand Caserne. Une nuit de septembre, le 26, une bombe bien placée tomba sur un wagon chargé de munitions qui sauta, provoquant une formidable gerbe de plusieurs centaines de mètres de hauteur, détruisant des centaines de petites maisons ouvrières. Il est vrai que les Allemands avaient placé ce train en pleine gare située en plein centre de ce quartier populeux.

Un Français

*
Il s'agit en fait de l'émission hebdomadaire qui débute le 3 janvier 1941. Jacques Borel y donne, en partie ou en totalité, la lecture de lettres d'auditeurs.

Le passage de la ligne de démarcation à Moulins, dans l'Allier. Les auditeurs des villes traversées par la ligne se plaignent dans leurs lettres des difficultés liées à l'existence de cette « frontière ».

HALT!
Démarkationslinie

LA RUDE ÉCOLE DE L'OCCUPATION

« D'une page de honte, vous avez fait un chapitre d'honneur », *s'exclament quatre correspondants originaires d'un village du Sud-Ouest occupé. Privés de liberté, ils gardent l'espoir de vivre, un jour, la délivrance au son retrouvé du carillon de leur petite église.*

10 FÉVRIER 1941

Les Boches sont partout, notre petit village en est vert, nos routes en tremblent et le chant de notre clocher, ils nous l'ont interdit aussi sans doute parce que ce frémissement de l'air, cette envolée de cristal troublait ces âmes qui ne sont ni pures ni belles… Rien ne signale plus désormais le dimanche et la fête, les jours s'écoulent tous pareils dans un tranquille bourg qui a perdu, avec son carillon, sa joie de vivre, son allégresse mais non sa foi et son espoir… Tristesse ! Humiliation ! Amertume ! Nous avons tout appris à la rude école de l'Occupation et surtout la haine, l'exécration de l'envahisseur. Hier ivres de ciel bleu, de rires, de chansons et d'élan, nous avons vieilli. Il n'est plus de gaieté possible, plus de quiétude, plus de liberté, plus de vie, le Boche est passé ! […] Des Français ont pris le gouvernail avec la promesse d'un retour au port… Quelque part en France, le guetteur veille, prêt à diriger le faisceau lumineux du phare sur la barque qui s'approche du rivage. Vigilant et fidèle, cœur battant, il attend prêt à donner une aide, à guider… à suivre. Chacun de nous est ce guetteur, ne doutez pas de lui. Quel que soit le jour, il peut répondre présent ! Le ciel est gris, la brume brouille, les ombres se meurent dans le crépuscule du malheur. Où vont-elles ? De la lumière vers la libération, vers nous ! Nous sommes cette petite lueur qui danse et qui vacille, mais qui va, montant, montant, plus haute, plus brillante quand se précise la merveilleuse

« Je suis prête à tout.
Oui j'en ai assez de
la résistance passive,
je vais passer à l'action,
tout de suite. Assez de
cette résistance sournoise,
je veux lutter au grand jour,
et advienne que pourra !
Notre premier devoir
est l'audace. »

Marylick, jeune lycéenne, Lyon, 28 juin 1941

histoire de notre France de demain. La tempête fera rage mais nous ne redouterons pas ce vent qui chantera : « Liberté ! Liberté ! »

Hélène, Maurice, André et Lisette

P.S. : Nous serions heureux et beaucoup de Français avec nous d'entendre chaque soir au cours de notre émission de 9h15 un couplet de *La Marseillaise*, notamment celui qui commence par « Amour sacré de la patrie ».

LES ITALIENS

Voici les conseils de stratégie militaire donnés, avec un peu de naïveté et une bonne dose d'agressivité, par un père de famille.

Chambéry, 13 février 1941

C'est un bonheur pour moi et ma famille lorsque nous apprenons que les Italiens en prennent un bon coup (comme on dit en argot qu'est-ce qu'ils dérouillent les Macars). Nous trouvons même que vous les ménagez encore trop. À mon avis, tous les coups que les Allemands vous donnent vous devriez les rendre aux Italiens. On bombarde Londres, bombardez Rome, Douvres = Gênes, etc. Ces chacals-là ont besoin de comprendre. Le peuple allemand est plus stoïque et supportera davantage car il était prêt pour cette guerre, mais en Italie ce n'est pas de même. Le peuple est plus froussard et n'aime pas la guerre et je crois que les Lombards et les Piémontais souhaitent votre victoire pour devenir indépendants. Donc rendez à l'Italie des coups que les Allemands portent, c'est là votre victoire.

B.

P.S. : Good luck for english people.

PAROLES DE MARIN

Dans le Pas-de-Calais, déclaré zone interdite et rattaché à l'administration militaire allemande de Bruxelles, l'Occupation s'avère très lourde pour les habitants. Les marins, soupçonnés de convoyer des résistants, de faire de la contrebande, ou tout simplement de vouloir prendre le large... direction l'Angleterre, sont particulièrement surveillés.

Un petit village du Pas-de-Calais, 14 mars 1941

De la falaise du petit village où j'habite nous apercevons par beau temps les côtes de votre pays d'adoption. C'est donc doublement que nous sommes près de vous : par le cœur et par la courte distance qui nous sépare. [...]
J'avais deux fils mobilisés au moment de l'invasion. J'ai su par des camarades qu'ils étaient restés volontairement en Angleterre et s'étaient engagés dans les Forces françaises libres depuis juillet. Ce sont des marins. L'aîné est parti volontairement le 18 juin de Paimpol. Il ne savait encore rien du général de Gaulle, mais il est parti pour s'engager pour l'Angleterre, ne voulant pas être pris prisonnier par les Allemands. L'autre partit avec son bateau : est-il resté à bord ? Je n'en sais rien. Quand vous donnez des noms de marins au micro, je crois toujours entendre leur nom mais jusqu'ici, rien. Ma vieille mère, qui a 98 ans, écoute toutes vos émissions croyant toujours écouter ses petits-fils.

Un pêcheur

Un soldat allemand posté sur les côtes de la façade atlantique, particulièrement surveillées par l'armée d'Occupation.

4) Ah ! si pourtant nous avons un gros reproche à faire à nos amis anglais : pourquoi ne viennent-ils pas bombarder château Bougon ? Pourtant, il y a des départs de bombardiers pour l'Angleterre ! Et même de l'aveu de certains allemands de l'aérodrome, la D.C.A. anglaise ~~est~~ ... fameuse ! Quand nous entendons sonner l'alerte, on se demande : « voyons, est-ce pour ce soir ? » et nous avons toujours été déçus ! IE×2

Le moral des allemands baisse ... baisse ... Ce n'est plus la guerre éclair qu'ils avaient rêvé ; ça se prolonge beaucoup trop, à leur gré. Et puis, les permissionnaires qui arrivent d'Allemagne, racontent les bombardements, les populations manquant de tout, comme ici, et ce sont les "vainqueurs"... Et puis, ce qui les déconcertent c'est que nous conservons notre bon moral, notre confiance dans l'avenir, mais qu'ils sont heureux de nous voir faire la "queue" à la porte des boutiques !! IE+4

Ah ! j'oubliais de vous dire ... Notre beau monument aux morts de 1870, sur la place de la Duchesse Anne, a disparu. Pensez donc, le gratin des officiers allemands réside à l'hôtel de la Duchesse Anne, sur cette place ; c'était bien ennuyeux ce voisinage d'un monument mortuaire, avec les statues qui rappelaient tant de choses ! alors une ~~fois~~ nuit de septembre, je crois, ces Messieurs le mirent à bas et voilà longtemps qu'il est transformé en canons ! Pour terminer, je vous fais ~~le~~ dessin d'une affiche vue à Rennes :

MESDAMES,
POUR VOS CUIVRES,
DEMANDEZ,
LE
BRILLANT
DE GAULLE
QUI
CHASSE LE
VERT-DE-GRIS.

BRILLANT DE GAULLE

Nos "protecteurs" ont mis 15 jours à la comprendre !!! Que l'esprit allemand est donc lourd !!

Nous vous disons : à bientôt. Nous vous attendons et nous résistons !

Courage

Vive la France !
Vive De Gaulle !
Vive l'Angleterre !
et à bas les boches !!!

Transcription pages 90-91.

« Je vous fais le dessin d'une affiche vue à Rennes : nos « protecteurs » ont mis 15 jours à la comprendre !!! Que l'esprit allemand est donc lourd ! Nous vous disons à bientôt. Nous vous attendons et résistons. Courage ! »

Nantes, 21 mars 1941

UNE SÉANCE DE CINÉMA

À l'encre bleue, sur des feuilles d'un cahier d'écolier, cet habitant de Nantes a compilé tous les actes d'opposition dont il a eu connaissance. Chacun de ces petits gestes du quotidien traduise un certain esprit de résistance en Bretagne.

Nantes, 21 mars 1941

À notre chère vieille BBC, notre « pain spirituel » quotidien... C'est surtout dans les queues que l'on s'aperçoit de la façon de penser des Français. Car, évidemment, à Nantes comme ailleurs on fait la queue ! Tout le monde souhaite l'arrivée des Anglais, toutes les nouvelles de la BBC circulent et pas une personne n'incrimine le blocus*. Tous savent bien que s'il arrivait des marchandises, elles ne seraient pas pour nous ! Nous souffrons certes, mais que le blocus continue, car sinon ce serait pour engraisser nos « protecteurs ». [...] Écoutez l'histoire de nos cinémas. Pour entretenir le bon moral de la population, on fit donc ouvrir en novembre dernier un cinéma, ou plusieurs sans doute (en tout cas ils se réservèrent L'Apollo). Tout d'abord, ce ne fut que des films, mais vinrent les actualités. Il faut bien éduquer la population nantaise ! Or, à la première séance, ce fut choisi et... réussi ! Ils eurent la bonne idée de présenter l'entrevue Hitler-Musso au Brenner. Ah quelles bacchanales dans la salle ! Tout le monde sifflait, hurlait, trépignait et invectivait les deux compères de tels mots choisis qu'il ne vaut mieux pas les répéter. Il y avait des officiers allemands dans les loges, je vous laisse à penser s'ils ont été renseignés sur l'amitié de la population nantaise pour leur chef. À la deuxième séance, les spectateurs furent avisés qu'aucune parole ne devait être prononcée pendant les actualités. Oh ! le mot d'ordre circula en vitesse sous le manteau ! Et quand

* Le blocus de l'Allemagne est mis en place dès septembre 1939 par le Royaume-Uni et la France. Du fait de l'Occupation, le territoire français en subit les conséquences jusqu'en 1944.

vint le moment toute la salle fut prise d'un rhume aussi subit que bruyant ! Tout le monde toussait et éternuait. Et l'on ouvrait les parapluies et on déployait les journaux, j'oubliais de vous dire que des sentinelles armées étaient aux quatre coins de la salle.
À la troisième séance, ordre fut donné aux gens à qui déplaisaient les actualités de sortir au moment voulu. Quand ces dernières passèrent, les spectateurs d'un seul geste sortirent ! Mais vinrent le froid, la neige, le gel, et sortir de la salle devint très ennuyeux malgré le plaisir de jouer un tour aux Boches. Alors on resta pour les actualités. Et ce jour-là, on présenta Musso plastronnant à son balcon ! Quelle occasion ! Quelle belle occasion de manifester alors que ses soldats étaient en train d'attraper une belle raclée en Grèce. On sentait la salle bouillante de silence contenu, tout d'un coup une voix s'élève : « Ta gueule, tête de vache, cavale-toi, v'là les Grecs ! » Excusez les mots mais je n'en change pas une syllabe de peur de m'enlever la saveur. La salle entière fut prise d'un immense éclat de rire et les applaudissements crépitèrent. Le cinéma fut fermé pendant un certain temps comme punition. [...] Ah ! j'oubliais de vous dire. Notre beau monument aux morts de 1870, sur la place de la Duchesse Anne, a disparu. Pensez donc, le gratin des officiers allemands réside à l'hôtel de la Duchesse Anne sur cette place : c'était très ennuyeux, ce voisinage d'un monument mortuaire, avec une statue qui rapportait tant de choses ! Alors une nuit de septembre, je crois, ces messieurs le mirent à bas et voilà longtemps qu'il est transformé en canon.
[...] Nous vous attendons et résistons !
Courage !

n. s.

MISÈRE DU QUOTIDIEN

Ancien des unités de blindés sous les ordres de De Gaulle en 1940, cet homme dénonce le pillage alimentaire qui affame la population.

Marseille, 30 mars 1941

Je me suis battu dans les chars, je suis des chars, et le Général, le Patron comme nous l'appelons, sait ce que cela veut dire, il connaît ce langage de la force, de l'action rapide et énergique, de la Mort. En un mot, notre langage à tous les Français libres, c'est celui de la France éternelle. Je n'écrirai donc que brutalement peut-être ou d'une façon incohérente ce que me dicte ma pensée, mais ce sera toujours l'expression sincère de ce que j'ai vu et contrôlé moi-même, ce sera l'image réelle du peuple français. [...]
La vie, mon Dieu ! Plus de pain, pas de travail, des queues de 1000 personnes devant les magasins ; et le comble ! Pas de poisson à Marseille, le poisson subit le sort du blé et du bétail. Il est emballé dans des caisses et direction X : c'est ainsi que 300 kg de sardines ont giclé la semaine dernière, sans qu'une seule ne soit vendue à Marseille. Même procédé, même destination, pour les arrivages d'Afrique. Le tout est apporté au centre général de ravitaillement.
Les commissions nazies arrivent, font leur choix, et wagons plombés, gare de triage X pour ne pas attirer les regards. À la gare X une commission change l'étiquette et voilà les oranges, les bananes, les figues, la semoule, la volaille, dévorés par les nazis. [...] La France gémit, mais ce ne sont pas là les plaintes de sa chair meurtrie. La France pleure, mais ses larmes ne sont pas celles du trépas, et toujours malgré tous les efforts de la canaille et avec les yeux attristés de ce vieux maréchal, elle reste debout, impassible et noble.

Un des chars

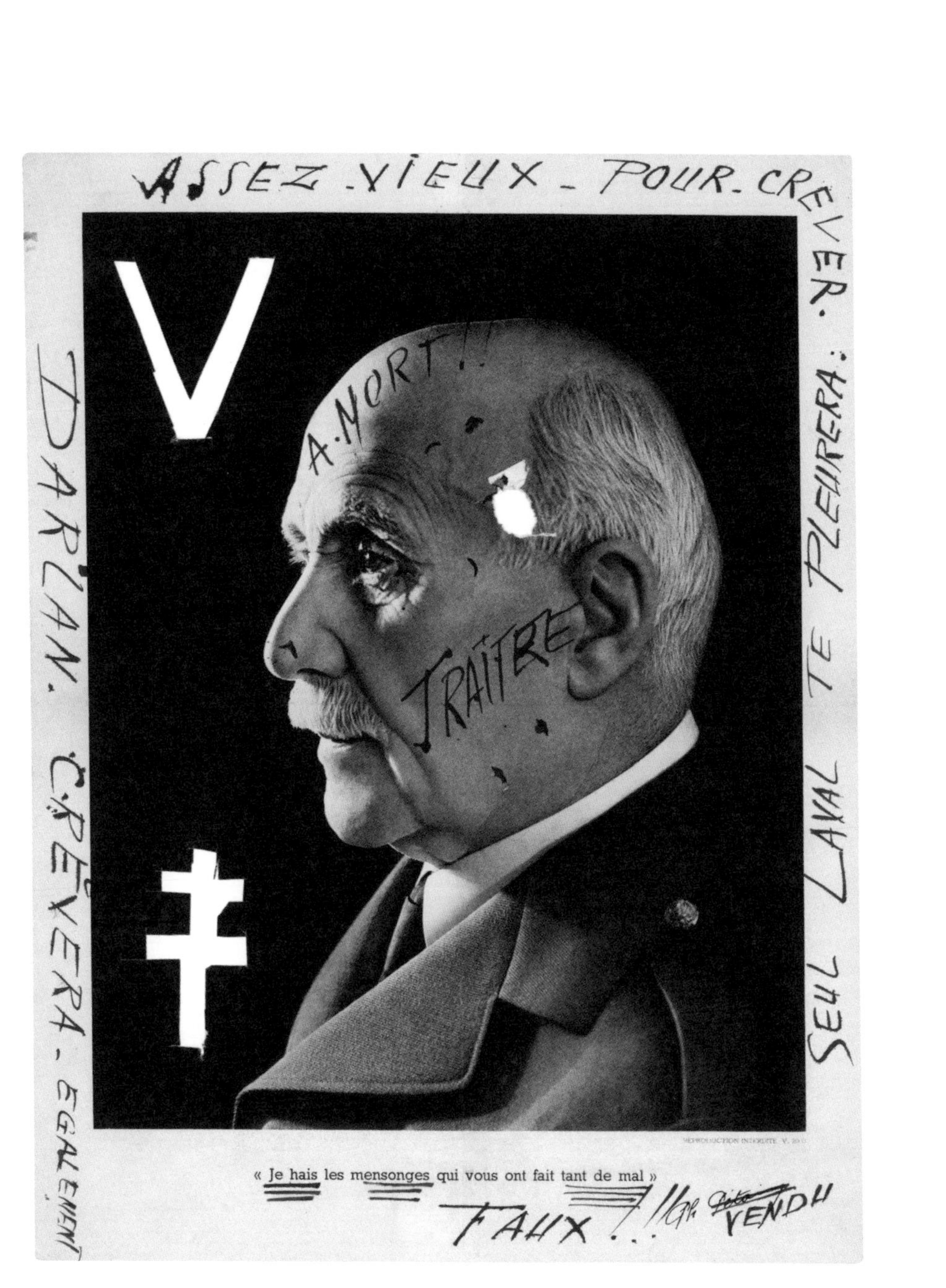

Ce portrait officiel du maréchal Pétain a été détourné en tract de résistance et distribué clandestinement dans les rues de Versailles.

« Claude France » envoie un tango qu'elle a composé en 1939, et espère qu'il sera chanté sur les ondes « par une belle voix d'homme ». Marseille, 4 mai 1941.

2) When I get one of your letter
That brings me something from home
Really for me nothing else matters
Than your lover again become
When I shall see you once more
The most cheerful moment I know
Under the moon I shall implore
To feel the lovers' breeze blow

I do love you
I shall tell you those lovely words
Whispered just to-night for you
All over the big great world
This sweet poem
Will never for us become old
"Je vous aime"
{It's you now that I behold
{It's of you that I'll get hold

French words

1) Oui chérie la nuit est profonde
Mais au ciel une étoile luit
Sous la falaise la mer gronde
Là bas une barque s'enfuit
Tandis que je pense à vous
Bercé du fracas de l'onde
Vous même à qui pensez vous
Tout à l'autre bout du monde

Refrain Je vous aime
J'entends ce refrain merveilleux
Murmuré ce moment même
Cette nuit sous tous les cieux
Ce poème
Ne deviendra jamais vieux
Je vous aime
Que peut on rêver de mieux?

2) Quand je reçois de vos lettres
Qui m'apportent l'air de là-bas
J'aspire aussi de tout mon être
Au jour qui nous réunira
Quand je vous retrouverai
Par un beau soir de mai
Sous la lune je dirai
De délicieuses folies

Refrain Je vous aime
Je dirai ces mots merveilleux
Murmurés ce moment même
Cette nuit sous tous les cieux
Ce poème
Ne deviendra jamais vieux
Je vous aime
Que peut-on rêver de mieux?

Written French words English words and music
by a French girl of nineteen who has
got relatives and a lot of friends in
Claude France — England!
I sing and made a lot of other songs, too

DES NOUVELLES D'ÉTIENNE

Une « sinistrée de Dunkerque 100 pour 100 », *privée de tout, n'a dans son malheur souhaité qu'une seule chose : acheter une TSF pour écouter la BBC, cette radio amie à laquelle elle adresse une requête...*

Dunkerque, 5 avril 1941

Chers amis de la France libre,

Plusieurs jeunes de ma connaisssance ayant dû travailler où vous savez, par la crainte, croyant être enlevés de chez eux s'ils ne se présentaient pas, se sont sauvés de ce pays pour retourner dans leur famille*. [...]

Que fait Pétain ? Nous nous le demandons avec anxiété, va-t-il nous livrer lui aussi ? Mais alors c'est qu'il serait comme les autres, bon pour le poteau d'exécution. Mais non ce serait fou d'y penser, un grand chef comme lui ne peut pas être lâche, ou alors ce serait la chose la plus horrible quc nous ayons vue, mais c'est impossible.

Je suis une sinistrée de Dunkerque 100 pour 100, et mon premier désir [...] a été d'acheter un poste de TSF afin d'écouter vos émissions.

Ayant une voisine qui voudrait des nouvelles du marin Étienne Luts de Dunkerque qui est resté en Angleterre sous les ordres du général de Gaulle, pourriez-vous me donner de ses nouvelles par TSF aux émissions de 6h30 matin et soir et à 11h45 heure anglaise. Si vous pouvez donner des nouvelles à Étienne Luts, dites-lui que sa mère se porte bien, est toujours à Dunkerque, qu'elle pense beaucoup à lui, est très fière de son fils. J'affranchis cette lettre à trois francs, excusez-moi si ce n'est pas assez, je ne peux pas me renseigner pour savoir le tarif. Bon courage et à bientôt la grande « V ».

Une Dunkerquoise

* Dès 1940, la propagande nazie et le gouvernement de Vichy incitent, par des offres alléchantes, les ouvriers français frappés par le chômage à partir travailler en Allemagne. Ces départs volontaires restent très limités.

429 (le 10. 3. 41)

Chers amis les Anglais.

Je vous écris pensant que ma lettre vous parviendras. Je suis une fillette de 13 ans qui aime beaucoup les Anglais et je vous écris pour vous faire savoir la haine que j'ai contre les boches.

Je serais très heureuse que vous lisiez ma lettre à la radio car nous vous écoutons tous les soirs et tous les midis. Ici, presque tout le monde connaisse vos chansonnettes, lorsqu'on les entends au poste de T.S.F., nous les chantons en même temps. La petite académie que vous faites le jeudi et le dimanche nous amuse beaucoup.

Les boches réquisitionnent aussi le bétail, nous avons entendu dire qu'ils ne voulaient que 2 vaches par étables. Ils prennent toute l'avoine, ils ne nous en laisse pas un brin. Mais on se debrouille....

J'espère que nous seront bientôt débarassés de cette race là.

L'ALSACE MEURTRIE

Cette fonctionnaire partie d'Alsace en septembre 1940 et passée en zone libre ne cesse de penser à ses compatriotes alsaciens, annexés à l'Allemagne nazie et dont le sort l'inquiète.

5 AVRIL 1941

Partie d'Alsace en septembre et depuis réfugiée en France soi-disant libre, je veux moi aussi vous envoyer mon témoignage. Je n'ai pas été expulsée, j'ai quitté l'Alsace de plein gré, après avoir comme fonctionnaire signé tout ce qu'on exigeait de moi, j'ai tâché de me procurer des papiers qui me permettent d'aller en zone occupée, de là je suis passée en zone libre. [...]
J'ai vu depuis un jeune homme parti d'Alsace au début du mois de mars, sans papiers, avec une seule valise et son courage. Il m'a dit que ceux que nous avions laissés souffraient plus que jamais, mais espéraient toujours. L'atmosphère y est étouffante, intenable, et les jeunes gens s'enfuient par milliers, malgré le danger qu'ils courent en le faisant. [...]
À Saverne un immense étendard croix gammée surmonte les ruines du château. Il fut arraché et remplacé par nos trois couleurs. Les auteurs de cet acte héroïque firent les choses à la perfection ; ils montèrent la hampe du drapeau français, l'entourèrent de fils de fer barbelés et arrachèrent les crampons permettant d'escalader la tour.
Le lendemain, la population assiste à un spectacle cocasse, la Wehrmacht s'efforçant de descendre l'emblème par des tirs de mitrailleuse. Au lycée de Colmar, des jeunes gens tentèrent la même chose ; ils furent arrêtés. On est sans nouvelles d'eux.

n. s.

DES RAISONS DE HAÏR

À l'encre bleu turquoise sur un papier couleur sépia, une jeune Belge de 12 ans, réfugiée en France depuis le 15 mai 1940, témoigne avec maturité de ses actes de résistance au quotidien. En haut, à gauche de sa lettre, elle a dessiné deux drapeaux, français et anglais, mêlés. À droite, le drapeau belge... avec l'espoir de retourner un jour chez elle, libre.

Avril 1941

Chers Français libres,

Ouf ! Je peux dire ce que je pense. Je ne suis qu'une petite fille de 12 ans, cependant je comprends la situation et je déteste les Boches plus que tout le monde. D'ailleurs j'ai plusieurs raisons. J'ai fui la Belgique* où j'habitais avec mes parents. Mon père est français et ma mère est belge. Vous pouvez être sûrs que je fais de la bonne propagande. Je jette dans le village des papiers pour expliquer aux gens « bouchés » que ce n'est pas la Bochie qui peut nous sauver, mais bien les Anglais. [...]

Je peux vous assurer que les VV et les ✝ courent les rues et que des imbéciles les effacent.

Vous voyez, nous ne sommes que des gosses et cependant nous travaillons pour vous et souhaitons aussi un rapide retour en Belgique, bien entendu quand elle sera libérée.

J'espère que cette lettre vous arrivera et que vous la lirez à la radio, c'est mon grand désir ainsi que celui de ma cousine de 15 ans qui vous écrit en même temps que moi.

Vive les Français, mais les vrais,
Vive les Anglais,
Vive les peuples libres.

Claudine

* En juin 1940, deux millions de personnes en provenance de Belgique et des Pays-Bas fuient devant l'avancée allemande.

À la demande de la BBC, les « V » de la victoire et inscriptions gaullistes fleurissent dans les villes de France, comme ici à Paris.

LA CAMPAGNE DES V

En guise d'introduction, des auditeurs se présentent à travers leurs connaissances. Ainsi ce Parisien se recommande auprès de l'amiral d'Argenlieu, proche de De Gaulle, comme « le père de Serge, mari de Paulette, qui habitait en 39-40 la même maison que lui » *et comme un proche de Dewavrin, dit le colonel Passy, chef des services secrets de la France libre.*

Paris, 21 avril 1941

Vos émissions sont depuis le premier jour le seul air frais qui nous parvienne ; sans elles, beaucoup d'entre nous n'auraient pas le courage de vivre. Elles sont généralement d'une remarquable tenue de forme et de fond.

La campagne des V est gagnée*. Le 5 avril, *Le Petit Parisien*, sous le texte « les graffitis imbéciles font d'innocentes victimes », annonçait que 6 200 avertissements taxés avaient été adressés à « des concierges, boutiquiers, principaux locataires ou propriétaires » que les Allemands, fidèles au « système des étages », ont rendu responsables. Pour éviter l'amende, les petits boutiquiers se lèvent plus tôt pour effacer les V qu'ils auraient voulu écrire eux-mêmes et que la nuit a fait éclore. La campagne des sous* est réussie. Il est souvent impossible d'obtenir la monnaie aux guichets des métros (le billet contre 1,30 francs) ; il faut acheter un carnet ou supporter l'embouteillage et attendre que l'appoint fourni par quelqu'un permette de rendre la monnaie.

À la poste, avant-hier, on m'a rendu un timbre de quatre sous au lieu de deux pièces de deux sous. Les nouvelles pièces de zinc commencent à apparaître et je me demande si le retrait des pièces de métal annoncé pour les pièces de cinq et un sous, et remis de jour en jour, ne se fait pas en sous-main par l'administration sous l'ordre des Allemands.

n. s.

* Le 22 mars 1941, la BBC appelle les Français à tracer des « V » de la victoire partout où ils le peuvent. La campagne remporte un franc succès dans toute la France.

* Sur l'air de « Savez-vous planter les choux », la BBC lance en janvier 1941 cet appel « Savez-vous planquer les sous » afin de soustraire les pièces de nickel que les Allemands réquisitionnent.

690

La Seyne le 13 Septembre 1941

V V V V V V V V V V V V V V V V V V V V V V V V V V V

<u>Dix-neuvième lettre adressée à la B.B.C</u>

J'ai toujours, comme vous pouvez le deviner, un très grand succès avec mon insigne : <u>M.P.L.B</u>... Je vous ai dit, dans une précédente lettre, ce que celà signifie... mais, l'avez-vous reçue ? Au cas où vous ne l'auriez pas eue, voici le mystère de ces 4 lettres : <u>M</u>.... <u>p</u>our <u>l</u>es <u>b</u>oches...
<u>M</u>.... <u>p</u>our <u>l</u>es <u>b</u>abis ... (et, encore,)
<u>M</u>erci <u>p</u>our <u>l</u>es <u>B</u>ritanniques ...
Mon insigne, que j'ai composé et fait moi-même, plaît beaucoup... et je prends un malin plaisir à en dévoiler le sens... surtout devant des gens que je sais être <u>partisans</u> de la fameuse "collaboration" !...

Dernièrement, à Marseille, un agent de police m'a arrêtée dans la rue pour me demander : « quel est l'insigne que vous portez là ! » ... Et je le lui ai dit bien vite... Savez-vous ce qu'il a fait ? Il a éclaté de rire et m'a félicitée en me disant : « On les aura, les boches ! »

Oui, on les aura ... et nous reverrons encore de beaux jours ! Patience... et espoir !...

Vive la France !
Vive l'Angleterre !
Vive l'Amérique !

Renée Garcin

V V V V V V V V V V V V V V V V V V V V V V V V V V V V

C'est la dix-neuvième lettre de Renée Garcin qui habite La Seyne sur Mer. Sur l'enveloppe, les speakers ont écrit au crayon : « Encore une lettre de notre amie Renée. »

~~Envoi de~~ Vous feriez bien d'aller visiter le
Chateau de St BRISSON canton de GIEN
LOIRET (Zone occupée) où se trouve un Etat-
Major de doryphores qui considere ce point comme
« Stratégique
il faut attaquer le doryphore où il se trouve
c'est l'avis de tous ici

17Y 940

FM

CARTE LETTRE

Pourriez vous me dire si les soldats
~~M~~ Jean DEZALAY 22e tirailleurs algeriens
Robert BELLANGER 151 regiment d'Infanterie
Alfred DALLA MURA 11e Zouave
François GUYOT
seraient dans les forces françaises libres

Carte lettre envoyée par une jeune fille réfugiée en zone sud qui se demande si elle peut avec ses « 1 m 77 » rejoindre le corps féminin des FFL.

UNE DOUCE ILLUSION

Sur deux feuilles pelure, portant la mention « copie pour la France libre », *la correspondante a dactylographié une lettre destinée à « madame la Maréchal ». Une démarche que l'on retrouve chez d'autres auditeurs, soucieux d'interpeller plus efficacement les personnes au pouvoir… via la BBC.*

VICHY, 16 MAI 1941

Madame la Maréchal,

Permettez-moi de vous mettre une fois de plus au courant des fluctuations de l'opinion publique, avec l'espoir peut-être chimérique de renseigner ainsi par votre intermédiaire Monsieur le Maréchal autour de qui une zone d'étouffement paraît être soigneusement entretenue.

[…] Vous devez être peu atteinte par les restrictions, Madame la Maréchal, et personne ne trouve à redire. Sans doute n'avez-vous même pas à vérifier le service de votre cuisinière et ignorez que le coût de la vie atteint pour certaines denrées de première nécessité le coefficient 20. Voici, pour vous édifier, le relevé de mon dernier marché : deux petits oignons, cinq francs (je les payais tout juste deux sous pièce il y a deux ans), 12 radis, 2,60 franc, un artichaut huit francs et une salade fanée 3,50 franc. Heureusement une brave petite femme de sous-officiers m'avait cédé à prix coûtant une friandise dont j'avais, depuis un an, oublié le goût, une petite boîte de sardines livrée par la coopérative où les privilégiés trouvent tout en abondance à des prix défiant toute concurrence. […]

Et les scandales continuent : ceux de plus en plus nombreux qui touchent à la caisse de l'État ont de l'argent en abondance et toute facilité de circuler en automobile ou en moto. Ils en profitent pour faire des randonnées dans les campagnes et rafler ce qui reste après les prélèvements faits

par les Boches. L'offre d'une grosse somme est tentante pour les paysans et c'est ainsi qu'on a payé, il y a huit jours à Effiat, un jambon 2 000 francs. Et à ceux qui résistent à l'appât du gain, on fait entendre qu'il y a la réquisition au nom du maréchal et devant un tel argument, tous s'inclinent.
[...] Pendant ce temps on entretient le maréchal dans la douce illusion que tout va très bien... comme chez la marquise de la chanson. Une mesure qui a singulièrement atteint sa popularité parmi les ouvriers est l'augmentation de 20 % sur le prix du tabac. Passe encore le pain, disent-ils, mais notre tabac... S'il faut tant d'argent pour les fonctionnaires, qu'on n'en nomme pas de nouveaux tous les jours. Le fait est qu'on nomme n'importe qui, pour n'importe quoi. [...]
Puisque nous devons faire des économies, on devrait bien nous en donner l'exemple.
Veuillez agréer, Madame la Maréchal, l'expression de mes sentiments très distingués.

Hélène H. de C.

DES RENSEIGNEMENTS

Les auditeurs se font souvent informateurs, indiquant les emplacements et les objectifs que la RAF doit bombarder. Lorsque le renseignement se révèle d'importance, il est transmis au ministère de l'Air britannique.

CHÂTELLERAULT, VIENNE, DIMANCHE 11 MAI 1941

Chers amis de Radio Londres,
Je suis employé dans une manufacture d'État, laquelle, réquisitionnée travaille sous ordres directs du ministre Funck avec les chefs et les cadres français d'avant l'armistice, dont l'action est contrôlée par un « deutsche

Treuhander *[commisaire allemand]* », assisté d'un ingénieur civil et d'un représentant de la Wehrmacht.
La production de l'usine est peu importante : il s'y fabrique de l'appareillage de précision (vérificateur), des pièces détachées, des gazogènes et des mitrailleuses. Des gazogènes ont été commandés ces jours derniers (6 000), c'est ainsi que les importations de Roumanie et de Russie jointes à la production de l'Axe en carburants synthétiques suffisent avec peine aux besoins de l'armée allemande. Nous sommes 2 000 Français et nous serons bientôt 3 000 à travailler pour le Germain et pourtant que faire pour se soustraire à cette triste servitude car il faut bien vivre. Vous avez dit avec raison que chaque usine française produisant du matériel de guerre était un champ de bataille. La nuit, l'usine ne travaille pas. Seuls y restent un personnel français de surveillance et le corps de garde allemand. Je vous donne ce détail dans le cas où la RAF jugerait bon d'y déposer quelques engins incendiaires.
À cet effet je vous joins un plan.

n. s.

LA RÉSISTANCE DES LYCÉENS

Elle signe M. M., mais les services de Londres ont mentionné au crayon « Madeleine » en haut de sa lettre. la jeune femme vient d'avoir 18 ans et ne reconnaît, comme seule autorité française légitime, que le général de Gaulle et ses hommes.

Du Pays basque, 10 juin 1941

J'habite une petite ville à la frontière franco-espagnole. Si les actes de résistance ne sont pas nombreux, il n'en est pas moins vrai que personne – sauf quelques malheureuses soigneusement repérées d'ailleurs – ne fraie avec ces

Ce plan accompagne la lettre d'un informateur de Châtellerault, du 11 mai 1941. Les cases faites au crayon rouge représentent les installations hydrauliques ou d'énergie électrique à bombarder. Celles en bleu, les ateliers principaux de l'usine (lettre page 104).

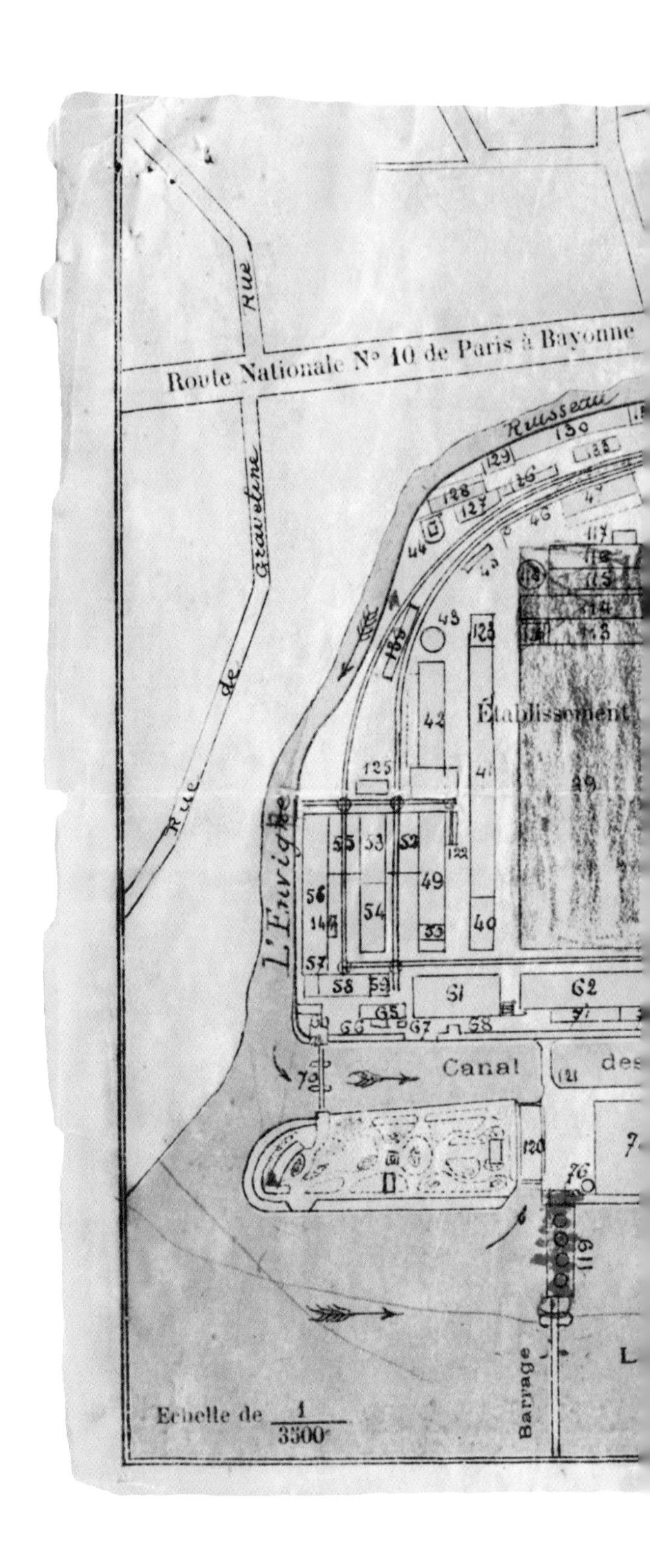

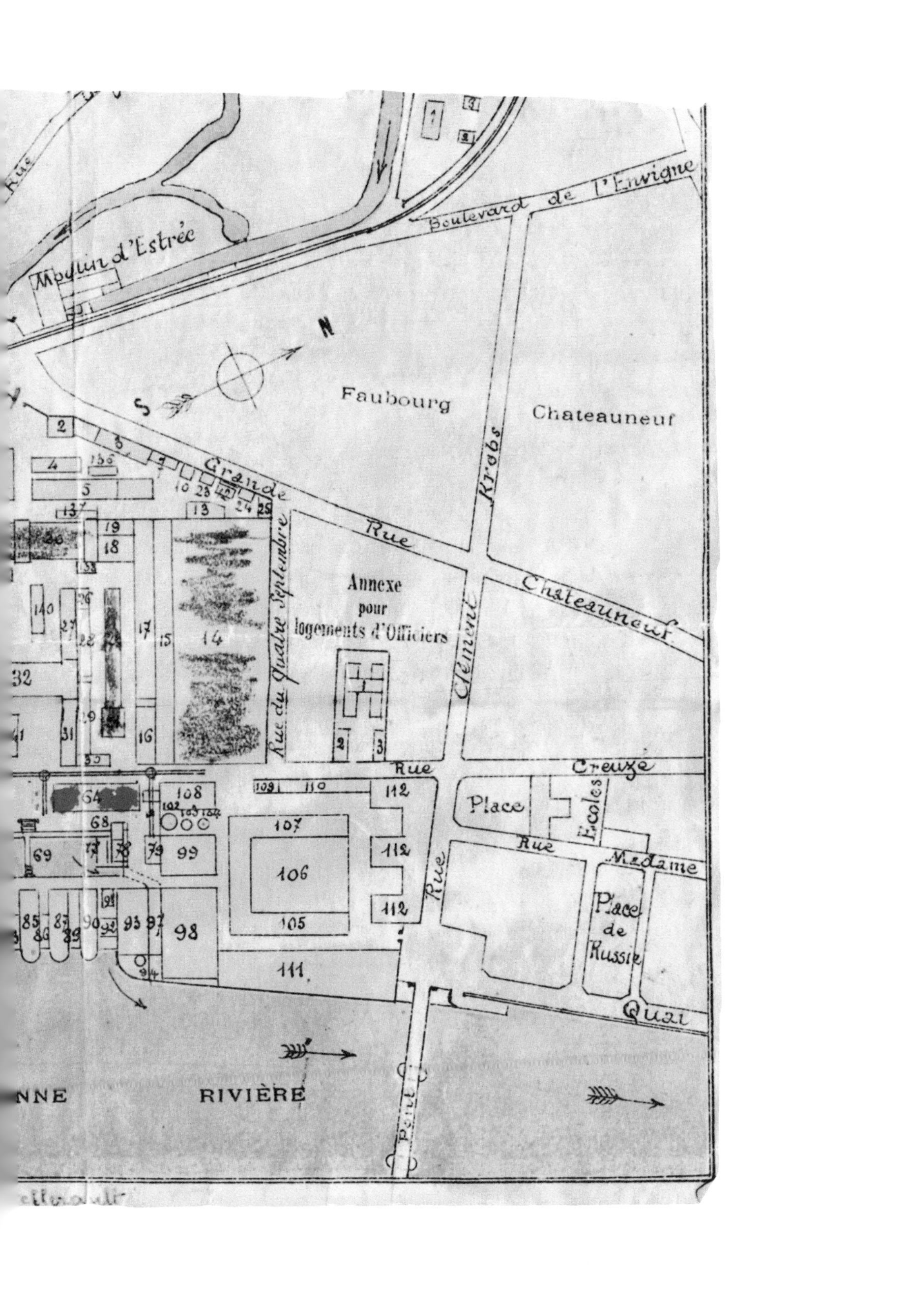

Rue
Moulin d'Estrée
Boulevard de l'Envigne
N
S
Faubourg
Chateauneuf
Grande
Rue
Chateauneuf
Krebs
Clément
Rue du Quatre Septembre
Annexe
pour
logements d'Officiers
Rue
Creuze
Place
Ecoles
Rue
Madame
Rue
Place
de
Russie
Quai
Pont
NNE
RIVIÈRE

messieurs. Les enfants des écoles se bouchent les oreilles lorsqu'ils passent en chantant et ont couvert les murs et les routes de V. À Bayonne, dans les trains bondés de lycéens et de collégiennes, les vieux officiers font mille amabilités aux jeunes filles qui, non contentes de leur rire au nez, prennent des airs dégoûtés, les bousculent, leur marchent sur les pieds sans songer à s'excuser. J'y ai vu une fillette d'une douzaine d'années tracer à la craie un magnifique V sur le casque qu'un soldat portait sur son barda. Le lycée a été menacé de fermeture parce que les élèves ayant découvert un pot de goudron dans la cour se sont empressés d'écrire « Vive de Gaulle » sur les murs. Toujours à Bayonne, les Arceaux et la place de la mairie étaient le lieu de rendez-vous de la jeunesse. Là elle se promenait en devisant et riant, mais les Allemands, ayant constaté que lorsqu'ils voulaient passer on s'arrangeait pour former un groupe et les obliger à faire un détour, ont interdit la place et les Arceaux. [...]
Vous êtes entrés en Syrie*, vous avez bien fait. Il y a longtemps que nous attendions cet acte et tout le monde était soulagé en apprenant que enfin vous vous décidiez à passer à l'action. Attaquez. Bombardez partout les Boches. Venez chez nous, même si nous sommes touchés, nous serons ravis de voir les dégâts que vous leur faites. Il y a des concentrations de troupes ici depuis quelque temps. Nous attendons la RAF avec impatience.
[...] Je viens d'avoir 15 ans et je regrette très souvent de ne pas être un garçon car j'aurais trouvé un moyen de rejoindre les soldats de la France libre – mais comme toutes les Françaises je saurai le moment venu me rendre utile – nous n'attendons que le signal.

M. M.

* Le 8 juin 1941, les Alliés déclenchent l'opération Exporter en envahissant la Syrie et le Liban contrôlés par les forces allemandes et italiennes de l'Axe.

FAUSSES NOUVELLES

Dans une France où les médias sont muselés, l'état de la presse et la « qualité » des informations diffusées en France ne dupent que ceux qui veulent bien l'être. Les autres, à l'image de cette jeune fille, s'empressent de rétablir la vérité...

LYON, 1ER JUILLET 1941

Chers compatriotes,

J'espère que ma lettre datée du 9 et du 11 juin vous est parvenue. [...] L'atmosphère de France devient franchement irrespirable. Les salles de rédaction des journaux sont devenues des officines de fausses nouvelles.

L'attaque allemande sur la Russie* a immédiatement fait changé d'opinion des rédacteurs de journaux : depuis vingt-cinq ans, c'est la Russie et non l'Angleterre qui mène la politique européenne. La Russie a toujours cherché à implanter le bolchevisme dans tous les États – avec l'aide naturellement de l'Angleterre. C'est la Russie et non l'Angleterre qui a cherché la guerre dans les Balkans. Enfin, c'est l'Armée rouge qui s'est ruée sur l'Allemagne. L'attitude du Reich a été purement défensive. Et tout naturellement le thème favori des journaux, c'est la croisade contre le communisme. Cet article a paru dans le *Lyon Soir* du 24 juin et n'était pas signé, ce qui est certainement moins dangereux pour son auteur. Je suis moi-même adversaire du communisme, et j'estime qu'il nous a fait trop de mal pour que les Français le voient avec plaisir s'établir partout. Mais, comme l'a très justement dit M. W. Churchill, il ne s'agit pas ici de politique. Les Russes se battent pour défendre leur pays et leur liberté, et parce qu'ils combattent contre l'Allemagne, ils sont nos alliés. Chaque pays pourra bien après la victoire se défendre du communisme comme il l'entendra. [...]

* Le 22 juin 1941, Hitler déclenche l'opération Barbarossa rompant ainsi le pacte germano-soviétique de non-agression du 23 août 1939. Le front de l'Est devient le principal théâtre d'opérations militaires en Europe.

« De temps en temps
il serait bon que la radio
annonce que les nommés
untel de tel endroit auront
des comptes à rendre devant
les tribunaux militaires. »

***Pan Pan l'Abri**, Marseille, le 20 juin 1941*

À Lyon, tout le monde sait que les usines Berliet, Sygma, Villars fabriquent des moteurs d'avion à une cadence accélérée, et qui ne sont certes pas destinés à l'aviation française. Aussi, quelques tonnes de bombes sur les usines ci-dessus seraient-elles les bienvenues. En passant, la RAF fera bien de ne pas oublier l'aérodrome de Bron où pullulent les avions boches. [...]
Nous aimerions entendre en entier quelques morceaux de musique militaire. En particulier mon père, ancien combattant du 21e chasseur à pied, aimerait écouter les airs qui, autrefois, les entraînaient au combat. Ne serait-il pas possible de consacrer, deux ou trois fois par semaine, quelques instants de vos émissions à la musique militaire ?
À bientôt chers amis de Londres. J'espère que cette lettre vous parviendra. Elle vous apporte les vœux ardents pour la victoire d'une jeune fille de France.

Lu. Be. Br. Ly.

LE TRAÎTRE DARLAN

C'est la troisième lettre que cette femme, qui signe « la sténographe », envoie à Londres.

15 JUILLET 1941

Chers compatriotes,
Nous qui nous trouvons en France, nous n'arrivons plus à comprendre l'attitude du maréchal Pétain. Au début nous avions confiance en lui et certains étaient même sûrs que le maréchal était de cœur avec vous. Ses premiers actes nous inclinaient à penser qu'il avait raison. Nous avons même eu la preuve que, dans plusieurs cas, le maréchal avait résisté avec succès aux exigences allemandes. Jamais vous avez pu

Le régime de Vichy entend regénérer la France par un retour aux valeurs traditionnelles fondées sur la famille, le travail et la patrie. Affiches de propagande dans les rues de Paris.

LA FAMILLE
FRUIT DU PASSÉ, GERME DE L'AVENIR
COMMISSARIAT GÉNÉRAL À LA FAMILLE
RUE
DES ETUVES S^T MARTIN
E LA SOCIÉTÉ
MARÉCHAL PÉTAIN

le remarquer le nom du général de Gaulle ou l'un des vôtres n'a été prononcé par lui. Il vous englobe sous le nom de « dissidents » sans jamais dire que vous étiez des traîtres. Cette attitude nous réconfortait et nous étions heureux de sentir un allié dans le chef de l'État !
Maintenant tout a bien changé. On n'aperçoit plus son nom que par-ci par-là dans les journaux.
Darlan est passé grand manitou*. Toutes les lois, tous les décrets commencent par ces mots : « Sur une décision de l'amiral Darlan, vice-président du Conseil… » Nous ne comprenons plus que le maréchal laisse aller les choses avec une telle passivité ! Espère-t-il en restant au pouvoir sauver quelque chose de la France ? Il semble bien qu'il s'illusionne sur le résultat de ses efforts. Espère-t-il retenir la fureur grondante du peuple français et éviter une révolte qui aboutirait à l'envahissement total de la France par les Allemands ? Ou bien, plutôt, est-il retenu par l'amiral Darlan pour servir de paravent, et conserver ainsi une place avantageuse à son subordonné et couvrir ses infamies ? Beaucoup de personnes penchent vers ce dernier point.
Tout en continuant à respecter le maréchal, car il est impossible de croire à une trahison de sa part, les Français n'ont plus confiance en lui ; il n'a plus aucune influence, et est simplement devenu un prête-nom et une façade.
[…] Donnez aussi dans vos émissions le moyen aux Français de la zone libre de résister efficacement à l'ennemi. […]
Que puis-je faire pour vous aider ?
À bientôt chers amis lointains.
Recevez tous les vœux d'une jeune Française de 20 ans pour la victoire.

La sténographe

* Depuis le renvoi de Laval, le 13 décembre 1940, l'amiral Darlan, qui poursuit la même politique de collaboration que son prédécesseur, est devenu tout aussi impopulaire auprès des Français. Une situation qui jette le trouble dans l'opinion publique, et commence à ternir durablement l'image du maréchal Pétain.

LA BRETAGNE MANIFESTE

Son écriture est serrée, dense, et le rythme traduit une urgence à témoigner. Sur trois pleines pages, l'auteur n'hésite pas à dire que sa missive ressemble à une lettre de « concierge », mais son but est avant tout d'informer et de soutenir les Alliés. En Bretagne, comme ailleurs, les actes de résistance se multiplient.

NANTES, 20 JUILLET 1941

À mes chers amis de la BBC,

Aux fêtes de Jeanne d'Arc, le 11 mai*, ce fut une véritable manifestation de patriotisme sur la tombe de nos amis anglais au cimetière de la Gaudinière à Nantes. Les tombes disparaissaient sous les fleurs, les couronnes, les gerbes tricolores et les inscriptions prouvant que l'amitié franco-anglaise subsiste toujours en nos cœurs (l'heure silencieuse pour les femmes fut très dure !).

* Jeanne d'Arc devient un enjeu de propagande pour Vichy et pour la Résistance. Tandis que Pétain instaure, le 11 mai 1941, une fête nationale en son honneur, la BBC appelle à manifester le même jour en son nom.

Puis vinrent les processions de la Fête-Dieu. Elles eurent le droit de sortir car ça c'est dans le plan d'Hitler : se concilier les bonnes grâces des catholiques, si nombreux en France. [...] À Nantes, la coutume est de chanter dans certains cantiques : « Catholiques et Bretons toujours ». Mais cette année tout le monde chanta : « Catholiques et Français toujours ». [...] À Clisson, au sortir de l'église sur la place, la population avait fait une immense croix de Lorraine avec des fleurs et au-dessus avec des fleurs également l'inscription : « Seigneur, délivrez la France ».

[...] Puis ce fut le 14 Juillet*. Vous nous aviez donné l'ordre de multiplier les couleurs nationales. Vous fûtes bien obéis ! Et il y eut des petites inventions bien amusantes et des détails de toilette bien inédits ! Tout était au bleu, blanc, rouge. Mais comment faire puisque le pavoisement des maisons était interdit. Oh ! mais, ils ont fort à faire avec les « Franzozen » ! Et les fleurs ? Les fleurs n'étaient pas

* Ce jour-là, la BBC lance un appel à manifester son opposition dans toute la France, en arborant les couleurs nationales. Les initiatives vont dépasser les espérances des Alliés.

Cette carte de la Bretagne envoyée de Quimper est transmise par la BBC à l'Intelligence Service le 14 octobre 1941.

défendues. Donc au balcon nous vîmes fleurir des guirlandes et des bouquets tricolores. Et je connais certain douanier en retraite qui, en plus de son bouquet tricolore, avait imaginé quelque chose de mieux. En ce jour de 14 Juillet, il fit un temps de chien, un vrai temps d'Angleterre ! Mais ça ne faisait rien. Ce n'est pas défendu d'étendre du linge dehors. Donc notre brave douanier étendit bien en vue devant sa maison une veste bleue, une serviette blanche et une flanelle rouge ! Jamais drapeau clandestin ne fut mieux réussi !
Aujourd'hui, 20 juillet, journée des V, il y en a partout sur les murs, sur les poteaux, sur les routes et... sur toutes les portes des collaborateurs.
[...] Avez-vous écouté, il y a quelque temps, Marcel Déat* à Radio Paris nous racontant qu'il était douloureux de constater qu'il existait encore en France des incurables, c'est-à-dire des êtres qui croient encore en la victoire anglaise ? Eh bien, je m'associe vivement à la douleur de Marcel Déat ! Et je lui répondrai que dans les queues, dans les magasins, dans les cafés, dans les églises, dans les ateliers, dans les familles, dans les lycées, et dans les presbytères, il y a des incurables. La France est pourrie, Marcel Déat, car elle est farcie d'incurables.
(J'étais pour signer : un incurable !)

Jean-François de Nantes

* Ancien député socialiste exclu pour ses doctrines autoritaristes, Marcel Déat est, dans les années 1930, le chef de file des néo-socialistes, séduits par le fascisme. En 1941, il fonde le Rassemblement national populaire (RNP), parti collaborationniste et proallemand.

Les auditeurs se plaignent régulièrement du manque de charbon. Pour se réchauffer, certains Français trouvent refuge dans les lieux publics et les cafés.

LES CATHOLIQUES

Elle s'appelle Liette, c'est une fervente catholique et une farouche pro-Alliés qui prend le risque d'envoyer sa photo avec sa lettre dactylographiée.

Thonon (Savoie), 28 juillet 1941

Chers amis de la France libre,

Hélas, la plus grande partie des collaborateurs se recrutent dans la bourgeoisie et les situations libérales (ceci je crois dans toute la France) et parmi les gens qui n'ont pas souffert des guerres 1914-1940, ni dans leur fortune, ni dans leur affection. [...]

Il faudrait que la RAF inonde la France entière de tracts, rappelant aux catholiques que le pape n'a jamais condamné les Anglais et les gaullistes par aucune encyclique tandis que les nazis ont été condamnés formellement par l'encyclique « Mit brennender Sorge* ». Il faudrait rappeler aussi que le pape a toujours déclaré que cette guerre était une croisade et qu'elle le reste malgré les Russes parce que, comme l'a dit Churchill, le bolchevisme ne demeurera pas.

Enfin que M. Maurras, le grand champion des Boches, étant athé, et s'en vantant, n'a pas qualité pour être le guide spirituel des honnêtes gens et encore moins des catholiques.

Le journal qui fait le plus de mal est *Gringoire* (ainsi que *L'Action française* et *Candide*). Après avoir, pendant vingt ans, brouillé entre eux les catholiques et les gens de droite et lutté contre l'Église, le sinistre Maurras achève son œuvre diabolique en se faisant l'apôtre du « redressement moral ». Jamais vous ne ferez trop contre ce vilain individu et sa clique : il faut tous les jours lutter contre lui et *Gringoire* dans vos émissions.

Luttez aussi contre Blum et les vrais francs-maçons : les extrémistes de droite et de gauche ont perdu la France ;

* « Avec une brûlante inquiétude ». L'encyclique du pape Pie XI destinée aux catholiques allemands, écrite en langue vernaculaire et non en latin, est lue publiquement en chaire, le 21 mars 1937.

après la victoire il faudra tous les chasser et que seuls les anciens combattants, des gens modérés et compétents soient chargés de gouverner. Plus de politique, l'idéal serait une Constitution dans le genre de celle de la Suisse avec à la base la religion, non la bigoterie, mais la vraie religion, faite d'abord d'obéissance au pape et de charité. [...]
Chers amis de la France libre, chers soldats, que Dieu vous garde ! Vive la France... Vive de Gaulle... Vive nos amis anglais...

Liette

EN ZONE INTERDITE

Malgré les risques graves encourus dans la zone nord interdite pour les contrevenants au règlement allemand, les habitants n'hésitent pas à faire preuve d'actes de résistance civile et de bravoure exceptionnels.

SAINT-CHRISTOPHE, 10 AOÛT 1941
Chers amis
Je profite de mon séjour en zone dite libre pour vous faire parvenir des nouvelles de la zone interdite, et notamment du Nord et du Pas-de-Calais. [...]
À Dourges (Pas-de-Calais), à l'intersection des routes de Dourges et d'Évin-Malmaison, il y avait une tombe de soldat anglais. Elle était très soignée, belle croix, bel entourage, des fleurs à profusion et même un cœur en zinc portant cette inscription : « Ici repose un brave soldat anglais mort courageusement pour sa patrie. » Le 11 mai, deux drapeaux alliés furent plantés sur la tombe. Les boches décidèrent aussi de l'exhumer. Il y a encore énormément de ces tombes le long du canal de la Deûle. Elles sont très bien entretenues par la population et personne ne passe devant elles sans les

saluer. Le général Nichof, commandant le Nord et le Pas-de-Calais réagit pourtant beaucoup contre cela. Il a interdit le port de la croix de Lorraine, il a aussi fait amender les ouvriers qui presque tous avaient refusé de travailler le 11 Novembre. [...] Pendant l'hiver, des bagarres nocturnes ont eu lieu à Hénin-Liétard avec les Boches qui avaient brûlé Oignies et Courrières. Lors de la campagne des V, tout le monde suivit votre consigne. Des patrouilles allèrent de porte en porte pour les faire effacer. Bon nombre d'habitants eurent 50 francs d'amende. Mais comme il y a encore des V partout, les Teutons, beaucoup plus spirituels qu'on ne croit, en dessinent aussi jusque sur leurs voitures. Pour remédier à cela, la population dessine des croix de Lorraine dans les V.
Le 11 mai fut un triomphe. Il y a eu des foules énormes dans les rues. À Lens, il y en a eu autant qu'à la braderie, l'immense marché qui, en temps de paix, rassemble toute la population du bassin houiller. À Hénin-Liétard, on se serait cru à la chicasse, kermesse des gens du Nord et plus grande fête de l'année. À Oignies, toute la population se donna rendez-vous au cimetière, devant les tombes des 159 victimes. On aurait dit la Toussaint. À Lille, les habitants des environs s'étaient donné rendez-vous à la statue de Jeanne d'Arc. On affirme qu'il y eut près de 500 000 personnes. Il y avait tant de monde qu'il fallait une demi-heure pour aller de l'*Écho du Nord* au café Métropole. [...] Le moral est partout admirable et nous comptons tous sur la victoire anglaise. Nous les attendons avec patience et courage. Quand ils arriveront, ils pourront compter sur nous pour les aider. Vive la France, vive l'Angleterre.

V3 de Saint-Christophe

UNE ERREUR PRÉJUDICIABLE

Quand on a un homonyme dans sa ville, et qui plus est vilipendé sur les antennes de la BBC pour son comportement douteux, la situation peut prendre une tournure particulièrement désagréable...

MONTAUBAN, 23 AOÛT 1941

De Monsieur André Bonardi, employé de bureau à Montauban, à Monsieur le directeur de la British Boardcasting Corporation à Londres.

Monsieur,
Au cours de vos émissions en langue française, vous avez annoncé qu'un nommé Bonardi à Montauban était agent de la Gestapo. Je vous serais très reconnaissant d'apporter des précisions au sujet de ce Bonardi qui doit être un de mes homonymes habitant la ville de Montauban depuis peu de temps, que je ne connais pas et avec qui je n'ai aucun rapport. Je suis employé à l'hôpital de Montauban (Tarn-et-Garonne). J'ai 28 ans. J'ai toujours vécu dans la ville où j'habite en ce moment. Veuillez donc apporter quelques précisions dans vos émissions en langue française, en particulier celle de 21h15. Cela évitera de faux jugements et tous les ennuis qui en découlent pour moi.
Dans l'espoir que vous voudrez bien tenir compte de ma demande veuillez agréer l'assurance de mes remerciements anticipés.

Bonardi

Postée le 10 mars 1941, arrivée le 9 mai,
Ginette envoie avec sa lettre une pensée de son jardin.

je souhaite une victoire prochaine.
pour vous et pour nous ainsi que
our nos chers prisonniers. Mon cher
apa lui aussi est prisonnier en Au-
riche au environ de Vienne.

e vous quitte chers amis en l'espoir ar-
ent d'une victoire prochaine.

Vive l'Angleterre } 2 puissances
Vive la France libre } unies.

autres lettres suivront.

Une petite fille française
habitant le département
de l'aube.
Ginette

on adresse est:
elle Ginette Fardet
Chez ses parents
à
Vauchassis Aube
nce.

UNE TOILETTE INDÉCENTE

Cette auditrice, qui signe « France et Liberté », profite d'un voyage dans le Sud-Ouest pour écrire. La lettre passée par la Suisse parvient à la BBC par l'intermédiaire du ministère de l'Information à Londres.

Ce 23 août 1941

Monsieur le ministre,

Le 14 Juillet c'est moi qui étais Marianne, une robe bleue, un paletot blanc, une écharpe rouge, un chapeau rouge, j'étais drapée dans un drapeau. Descendre du métro la Concorde ; par l'avenue des Champs-Élysées j'ai été à l'Arc de triomphe, les Boches y paradaient précédés d'un tutu strident, moi, je fredonnais *La Marseillaise*. J'ai prêté serment à celui qui dort là-haut que nous le délivrerions bientôt, les larmes malgré moi montaient à mes yeux. J'allais partir quand deux officiers de la garde mobile m'ont appelée : « Madame ! » Je fais demi-tour et je les fixe droit dans les yeux. « Madame votre toilette... ! » « Qu'ai-je, suis-je indécente ? », et je virevolte devant eux. « Oh ! Non mais... N'aviez-vous pas une autre robe ? » « Je suis comme Mimi Pinson, je n'ai qu'une robe et qu'une cocarde. » « Ne pouvez-vous enlever quelque chose à votre toilette ? » « Cela m'est impossible. Mais monsieur », et je montrai la plaquette tricolore que l'officier portait sur cette poitrine. « Mais monsieur, pourquoi n'enlevez-vous pas cela ? Et puisque c'est un crime de porter les couleurs de son pays, pourquoi la tombe de l'Inconnu a-t-elle des fleurs bleues, blanches et rouges ? » « Madame, vous avez l'air très intelligente !!! Je vous donne un conseil, ne circulez pas trop, vous pourriez avoir des ennuis. » J'ai suivi son conseil... J'ai traversé tout Paris, avenue des Champs-Élysées, je suis passée devant le Crillon, un officier allemand outré de mon audace m'a regardée dans les yeux, j'ai soutenu son regard et malgré moi j'ai eu un petit sourire ironique qui lui a fait baisser les yeux. Puis j'ai suivi l'avenue de l'Opéra, mon drapeau a défilé devant la Kommandantur et sur les boulevards. Là, j'ai vu arracher les fleurs tricolores des corsages des femmes, arrêter les hommes qui avaient des cocardes. Devant le local de la ligue d'engagement contre le bolchevisme, la foule assemblée criblait de lazzis le solitaire qui attendait les problématiques engagements. Puis, le soir, *La Marseillaise* chantée par nos étudiants et répétée par toute la foule et les arrestations ; une jeune fille de ma connaissance qui travaille dans les postes à Paris arrêtée pour avoir chanté. Gardée quatre jours. [...] Sachez que nous sommes avec vous, Américains et Anglais, et que tous nos vœux vous appellent.

France et Liberté

LES DERNIÈRES ILLUSIONS

Cette femme qui prend la plume a vécu en Alsace annexée, puis en zone occupée, avant de s'établir en zone libre. D'illusions en désillusions, elle dépeint la ténacité des Français, et salue leur courage, malgré un silence apparent.

Cannes, 25 août 1941

Cher Monsieur,

Pétain a été pour moi une cruelle énigme depuis l'armistice. Sa popularité tenait à la conviction qu'il jouait un jeu habile, qu'il était d'accord avec nos alliés, et qu'il allait, un jour, jeter le masque. Ses paroles publiques ou privées entretenaient soigneusement ces illusions et son prestige a couvert toutes les machinations nazies. Il restait, pour nous, l'homme de Verdun. Maintenant c'est fini. Son discours du 13 août* a détruit les dernières illusions, il ne

* Il s'agit en fait du discours du 12 août, dit du « vent mauvais », dans lequel Pétain s'élève contre la méfiance croissante de l'opinion et l'influence néfaste de Radio Londres.

reste plus que l'homme de Vichy et il n'ignore pas que toute la nation se dresse contre lui.
La Révolution nationale est une colossale duperie. Du haut en bas de l'échelle administrative règne une pagaille indescriptible. Les hommes nommés par Vichy s'érigent en petits potentats, en hobereaux de province, généralement incompétents et pas toujours intègres.
On nous parle de la famille, et rien n'a été fait depuis un an pour aider les familles, surtout les familles nombreuses qui, plus que d'autres, souffrent de la misère et de la famine.
On nous parle de la patrie et nous voyons la patrie vendue, trahie, morcelée.
On nous parle de travail, il n'y a de travail qu'à la solde de l'ennemi.
[...] Un parti hitlérien, tapageur, existe chez nous, c'est le PPF*, spécialiste des tracts, des affiches et des articles incendiaires. Peu dangereux, au demeurant, parce que ne comptant que quelques forcenés. [...]
Vous qui, en France libre, en Grande-Bretagne libre, en Amérique libre, demandez ce qui se passe chez nous sous la double tyrannie de l'ennemi et du gouvernement de Vichy, comprenez le silence tragique du peuple français.
Comprenez combien il cache de souffrances morales et physiques. Dites-vous qu'une femme terrassée, qui se défend à coups de dents et à coups d'ongles, ne peut pas crier au secours. Comprenez donc ce que ce silence cache aussi de courage, d'héroïsme secret, de froide résolution et d'invincible confiance. Nous sommes envahis, mais nous ne nous reconnaissons pas vaincus. Nous n'avons pas capitulé, ne capitulerons jamais. Nous restons fidèles à notre idéal, à notre race, à nos morts, à nos alliés, à nos amis.

* Le Parti populaire français, parti d'inspiration fasciste, a été fondé par Jacques Doriot, ancien membre du PCF, en 1936. C'est l'un des principaux partis proallemand.

Nous avons toujours cru en la Victoire mais maintenant que la Russie est entrée dans le conflit nous en sommes plus sur que jamais.

Vive l'Angleterre pour que vive la France.

Vive les Alliés

Vive le Général de Gaulle

Signé :
2. 25.

Nous continuerons, dans l'ombre, la lutte de la civilisation chrétienne contre la barbarie nazie. Et nous, les croyants, c'est le Dieu vengeur que nous invoquons.

R.

UN HÉROS SILENCIEUX

Il s'appelait Marin Poirier, cheminot socialiste, responsable d'un mouvement d'anciens combattants, et membre du groupe de résistance Bocq-Adam. Arrêté le 22 janvier 1941, il fut le premier Nantais fusillé, le 30 août 1941. C'est son courage et sa mémoire que ce correspondant espère voir salués par tous.

17 SEPTEMBRE 1941

Messieurs,

J'ai l'honneur de porter à votre connaissance des faits absolument certains concernant un homme, un héros obscur, dont la mémoire mérite d'être honorée. C'est l'un des détails de la lutte que mène le front souterrain, en zone occupée, contre l'envahisseur ; un des détails de la résistance du peuple français à l'oppression.

Cet homme n'est pas inconnu de toutes les organisations des Forces françaises libres probablement. Il était membre d'un comité secret organisé à Nantes, Loire-Inférieure. Ce comité formé d'une majeure partie d'anciens combattants s'était donné pour but de faire évader des prisonniers français des camps où ils étaient détenus, en France, et de régulariser leur situation ; de faire passer des personnes désireuses de fuir la promiscuité allemande de zone occupée en zone non occupée ; de faire passer des volontaires en Angleterre pour grossir les rangs des troupes du général de Gaulle. C'est à ce titre que je suis moi-même rentré en relation avec ce comité... Sa tâche était ardue et son œuvre efficace. Je fus mis en rapport par l'intermédiaire d'amis avec le garde-barrière du passage à niveau de la place du Commerce à Nantes. C'était lui le premier échelon (la chose se passait fin décembre). Il s'appelait M. Poirier, et habitait 19 chemin de la Gaudinière à Nantes. C'était lui le plus directement exposé de l'organisation, devant entrer sans intermédiaire absolument sûr en pourparlers avec des gens qu'il connaissait souvent peu, parfois pas du tout, amenés par des relations assez incertaines très souvent. Il agissait presque en « plein air ». Il était à la merci d'un bavardage, d'un espion, d'un traître. Il recevait ses « clients » comme il disait partout : chez lui, dans la rue, près du passage à niveau, au café voisin. Pénétré d'un grand zèle, il voulait faire les choses de plus en plus en grand, et avait de plus en plus affaire à des inconnus. Et il était insouciant du danger dans sa dure besogne. Il ne se méfiait pas assez… Parlait trop fort, ne pensait pas qu'il pouvait être épié facilement, oubliant que les murs ont des oreilles. Mais il ne parlait jamais de ses chefs et de l'organisation, même avec les « clients très sûrs ». Il « s'en foutait de sa peau » et disait : « Je suis pourtant l'un des plus heureux sur la place de Nantes. » Son sacrifice était consenti d'avance. Je ne lui ai pas caché qu'il n'était pas assez prudent – aussi conseillez bien à tous ceux qui travaillent comme lui la plus méticuleuse méfiance, les Allemands sont bons espions ! […] Hélas l'organisation fut découverte ! – par quel moyen je l'ignore. M. Poirier fut arrêté par les Allemands dans son café habituel. Il aurait pu se sauver avant, partir en zone non occupée. Mais il voulait rester là, continuer son travail. Le malheureux fut emprisonné à Nantes ; rien d'officiel ne prévint sa femme qui ne put avoir que quelques pauvres renseignements par des personnes

Le 25 octobre 1941, obsèques du chef de la Kommandantur de Nantes, exécuté par la Résistance. Quarante-huit otages sont fusillés à Nantes, au Mont Valérien, et à Châteaubriant.

témoins de l'arrestation. J'ai vu la pauvre femme se lamenter se demandant : « Où est-il ? » En prison il resta longtemps. Je ne connais aucun détail sur son jugement, ni sur ce que devinrent les autres membres du comité secret arrêtés à peu près en même temps que lui. Mais j'ai appris tout récemment que M. Poirier a été fusillé le 30 août par les Allemands. (Il avait une quarantaine d'années ; c'était un ancien combattant.)
Il est mort pour la France ; il est mort à l'ennemi, en soldat modeste et obscur qui ne voulait seulement que faire son devoir. Mais il fit bien plus que son devoir.
Il mort pour la cause de la libération ! Il mérite que son nom ne soit pas tout à fait oublié.
Mon indicatif conventionnel est :

Morloicot et Pénangat

AU NOM DE MON FILS

L'écriture est belle et régulière, le style soigné. Telle est la lettre de cet ouvrier, habitant de la banlieue parisienne, qui a combattu sous le drapeau français lors de la Première Guerre mondiale, et dont le fils « se meurt » *en Prusse.*

Chers amis,
Nous ne devons pas sombrer, nous ne devons pas mourir cela ne se peut pas, ce serait aller à l'encontre de la théorie de Dieu, ce serait à désespérer du genre humain. [...] Mon fils se meurt en Prusse, lui dont le moral était si élevé et qui eut la croix dans les premiers combats. Je suis un ancien de la précédente avec cinq blessures, trois citations, la médaille militaire. Au nom de mon fils, au nom des anciens combattants, je vous crie bien haut poursuivez la guerre jusqu'à l'écrasement final de l'hitlérisme. Tant pis nos

« Quand vous bombardez Berlin, faites attention au corps de prisonniers. J'y ai mon cousin, que j'aime comme un frère... »

***Yvette**, Annecy, le 7 octobre 1941*

souffrances, tant pis la douleur, tant pis la fin, sauvez la civilisation ce doit être là votre unique but et votre gloire et quelle gloire ! [...] Oh ! combien je désirerais être avec vous pour défendre l'élément sain qui subsiste encore chez nous car il reste encore des hommes qui comme moi désireraient porter les armes pour abattre cet ennemi héréditaire.
Collaboration ! Quelle rigolade ! Il faut entendre la ménagère, l'homme de la rue, la France vivante quoi !
Collaboration ! C'est bon pour Laval et ses acolytes, mais les Français ne mangent pas de ce pain-là.
Excusez, je ne suis pas un académicien, je suis un simple ouvrier mais j'aime mon pays.

Jacques Bonhomme

NOS MEILLEURS VŒUX

La lettre est arrivée à destination le 17 mars 1942. Écrite au soir du Nouvel An par un groupe de compatriotes lyonnais, elle témoigne de l'état de l'opinion publique en France.

Lyon, 31 décembre 1941

Aux Français libres et aux Alliés,
Bien que cette fin d'année nous apporte la preuve de la duplicité de M. Pétain aux crimes commis par ses maîtres et amis, les Boches, du fait du silence qu'il a gardé sur l'assassinat de cent autres Français innocents* ; malgré ce nouveau deuil, cette fin d'année nous apporte aussi un grand espoir et un merveilleux encouragement. [...]
Braves Russes, comme ils se défendent avec courage et héroïsme. Avec eux il n'est pas question de lutte politique, ils sont tous unis pour combattre l'ennemi et, de ce fait, ont réussi non seulement à lui tenir tête mais à le mettre en déroute. N'en déplaise à M. Pétain, nous préférons la

* Le 22 octobre, 48 otages sont fusillés à Châteaubriand, à Nantes et au Mont Valérien (voir page 131). Le 24, 50 autres otages sont éxécutés après l'assassinat du conseiller militaire Hans Reiner à Bordeaux.

défense de Moscou à la... défense de Paris ! Comment l'intuitif Hitler n'a-t-il pas prévu qu'en Russie, non seulement il ne trouverait pas de cagoulards, mais pas non plus le moindre capitulard ? Cela certes doit le changer de la France.
Nous admirons la vaillante armée russe et ses admirables chefs, dignes de ceux que nous avons eu la chance d'avoir en 14-18. Nous leur vouons à tous une profonde reconnaissance, car, grâce à eux, notre France sera peut-être libérée dans un délai plus rapproché. Les Alliés font aussi du magnifique travail en Libye. Quelle joie pour nous de suivre sur la carte les pays reconquis, et comme nous sommes fiers de savoir que des Français prennent part à la lutte contre ceux qui nous ont fait et nous font encore tant de mal.
[...] Il a été difficile de procurer des étrennes aux petits Français du peuple. Les jouets étaient fort peu nombreux et très coûteux. Quant aux friandises, elles ont atteint des prix véritablement astronomiques. C'est ainsi qu'on pouvait voir des papillotes à près de 180 francs le kilo. On se console en songeant que M. Pétain nous dit avoir tué le régime capitaliste. C'est ce qu'on peut appeler se moquer avec impudence de ses victimes. Enfin, tout cela n'est que provisoire, et si le régime démocratique a besoin de sérieuses révisions, il n'en reste pas moins l'idéal par comparaison à ce qu'on voit maintenant.
Nous vous attendons impatiemment. Nous vous envoyons à tous, Français et Alliés de toutes nationalités, nos meilleurs vœux de victoire pour l'année 1942.

Un groupe de Français et Françaises

que sont... — que nos frères se disent « Quoi !.. pour que quelques —
par de viles concessions pendant des années le supplic[e]
disons aux Alsaciens, aux gens du Nord, de l'Ouest, de Paris
nous leur disons : « Nous rejetons avec horreur les lâches co[...]
« les noms honteux à la face du monde au jour de la déli[vrance]
« pour afin de les préserver de l'occupation ... eh ! bien nou[s]
« de l'Ouest nous sommes Français comme vous — nou[s]
« pas que l'on prolonge d'un seul jour votre supplice pour nous
« Pétain a sous-estimé le courage des Français en cr[...]
« supporter le martyre de l'occupation Philippe Pétain, nous f[...]
« un courage et nous allons le prouver — frères du Nord !..
« nécessaire pour hâter votre délivrance, à supporter le même
« honte que dans une famille la moitié des enfants [...]
~~Supplions les colonies de marcher~~ dès aujourd'hui
pas immobiles, qu'elles ne se disent pas que leu[rs]
nous avons faim et nous sommes heureux et fiers de c[e]
cause commune. Et si les colonies marchent et que [...]
même ardemment heureux, car nous nous [...]
payons notre dette en souffrant pour eux, ce qu'ils sont
la supplions de marcher ! Combien nous souffrons de [...]
embrigadés de force, alors que les Héros Yougoslaves [...]
vous avez sous-estimé le courage français, Laval q[ui]
est plus malin que ça, il ne se bat pas pour les Boch[es]
~~qui~~ viendra la débâcle allemande, et que Vichy pre[...]
oui ! cette honte qu'on nous a infligée pendant des mo[is]
avoir mis l'abominable capitulation sur le splendide [...]
On peut et on doit pardonner les offenses privées mais
Ah ! Les criminels ! Capitules !.. Honte ! Honte ! Nous ser[ons]
en ces honteux armistices !... Et si le gouverneme[nt]
pourquoi nous serons éternellement redevables envers [...]
... Oui de même que nous gens du Sud, rougisson[s]
du Nord, de même nous Catholiques, nous rejetons av[ec]
Gouvernement voudrait nous acheter. Non ! Voyez-vous
« Catholique et Français toujours » Nous savons que Notre
« collabore pas avec le Démon ! On n'est pas neut[re]

[...] immobilité. Ce pièce que vous pourriez me déchiffrer avec une loupe —

Français occupés et de toute l'Europe»! — Et nous tous
ceux qui supportent la souillure de la présence Boche
missions de Vichy — Si quelques lâches, (dont nous chasserons
) si quelques lâches, préfèrent voir Pétain capituler pour a
rançais 100% nous vous disons : Frères du Nord, de l'Est et
itons notre part de calvaire comme vous, nous ne voulons
quelques heures d'illusoire liberté! Non! Non! et non! Philippe
ue une moitié de la France n'aurait pas le courage de
i veules que lui, car malgré son titre de maréchal, il a perdu
us en supplions, ne nous accusez pas, nous sommes prêts, c'est
rire que vous! La France est une grande famille et ce serait une
rison pour payer la liberté des autres —»! Oui nous
elles ne faisant pas le jeu Boche, qu'elles ne restent
alité nous préserve des chaînes allemandes. Non!
ble sacrifiée en offrande à Dieu pour le succès de la
là, les Boches nous envahissent nous serons quand
fin! Nos frères du Nord seront vite délivrés, nous leur
t pour nous. — Oh! cette armée de Syrie!.. Combien nous
nt de soldats courageux, que des chefs indignes ont
, se dressent David contre Goliath!.. — Ah!... Philippe Pétain
cherchaient la révolution sanglante! Mais le Français
ne collabore pas. Nous nous soulèverons?.. Oui! Le jour
ide car alors... certains n'en sortirons pas vivants...
s mois, nous la ferons payer. Oh! les lâches. les lâches. les lâches
de la France. Cela nous ne le pardonnerons pas —
ieges contre Dieu et la patrie. Il faut les châtier —
fiers dans notre captivité, s'ils n'y avait pas
ait continué la lutte avec les alliés.. Et c'est
al de Gaulle dont le courage a sauvé notre honneur
notre apparente liberté en face de l'emprisonnement
reur les faveurs illusoires par lesquelles l'actuel
us de Vichy! Ça ne prend pas! Vous savez le chant de
re le Pape a formellement condamné le nazisme — On ne
n religion ni en patriotisme. Notre Seigneur Jésus Christ
... Fidèles! ... ne peut pas être

Quatrième lettre adressée à Pierre Bourdan par Jeanine, de Haute-Savoie, 21 avril 1941, parvenue à la BBC par l'intermédiaire de l'archevêché catholique de Londres.

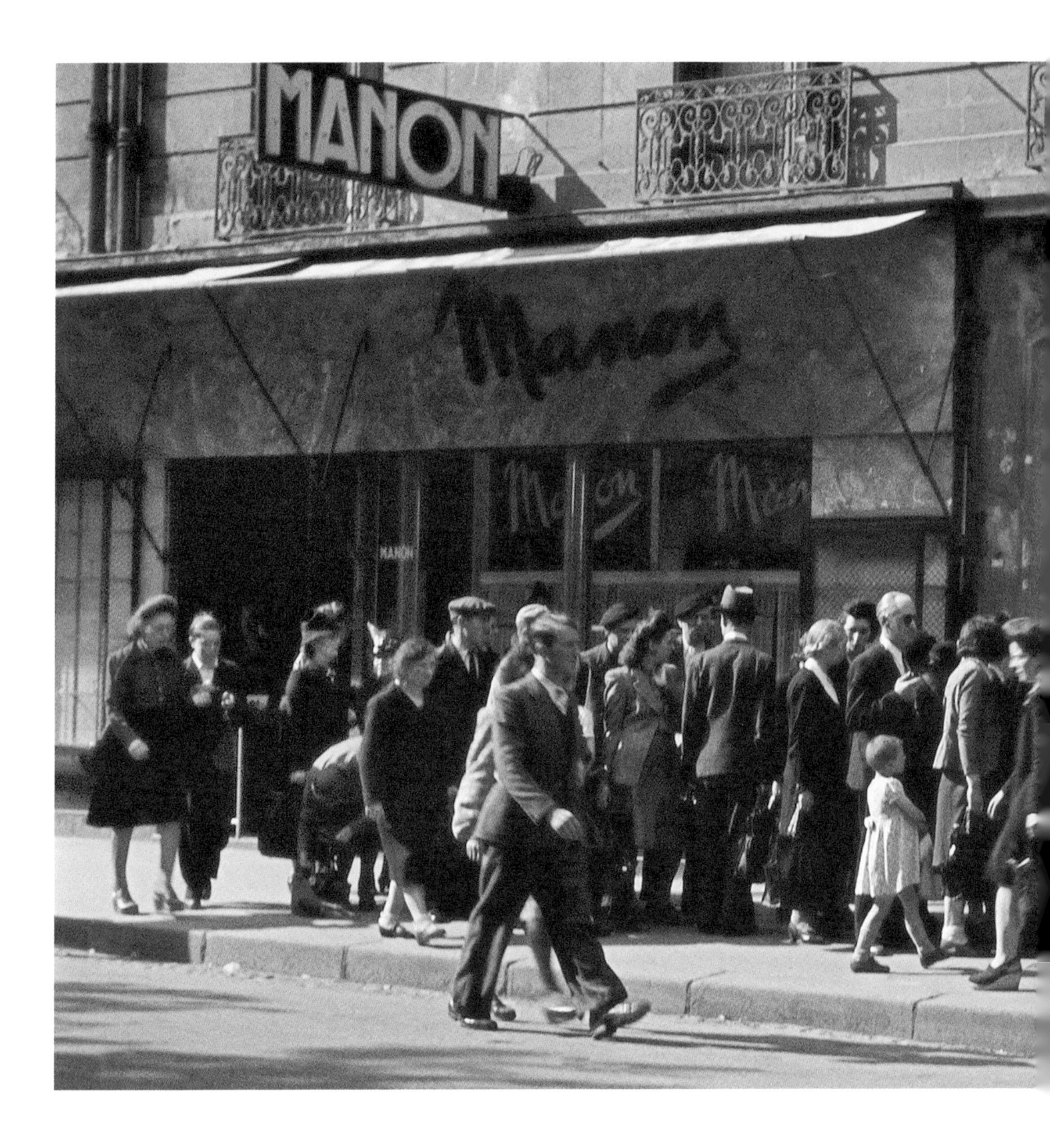
MANON
Manon
MANON

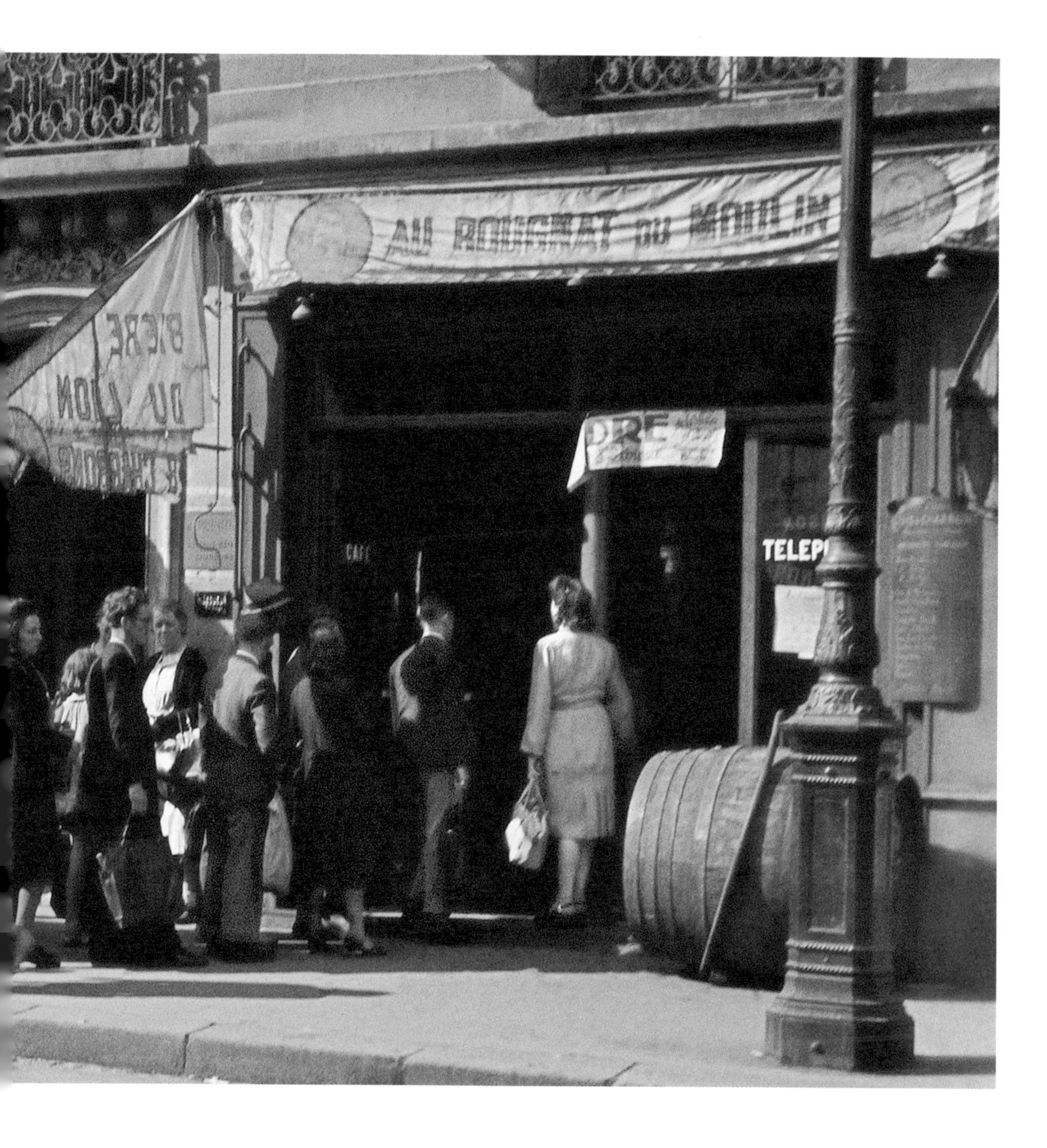

3. LE TOURNANT DE LA GUERRE

Janvier-Décembre 1942

Avec la résistance des Russes face aux troupes allemandes depuis avril 1941, l'entrée en guerre des Américains en décembre de la même année, puis le débarquement anglo-américain en Afrique du Nord en novembre 1942, l'année se place sous le signe de l'espoir.

Les courriers parviennent toujours à Londres, deux à trois mois après avoir été écrits. Conscient du maillage de la censure, Jacques Borel conseille aux auditeurs de numéroter leurs lettres, de les recopier quatre à cinq fois et de les déposer dans quatre à cinq boîtes aux lettres différentes, toujours en signant d'un pseudonyme. *« Lyon, le 26 février 1942. Suivant vos suggestions, dorénavant nous numérotons nos lettres. Celle-ci est la n° 2 de l'année 1942, la première, sans n°, date du 31 janvier. »*

Quant au brouillage, *« le plus grand crime contre la vérité, la justice, la liberté »* selon un habitant de Dordogne, dans une lettre écrite le 2 septembre, il continue à nuire à la bonne écoute de la BBC. Pourtant, le plus grand danger n'est pas là : l'usure des postes de radio et la flambée des prix des pièces détachées et appareils de TSF sur le marché noir inquiètent Londres qui délivre conseils et solutions aux utilisateurs.

Malgré quelques témoignages d'impatience, et en dépit de l'invasion de la zone libre par les forces occupantes le 11 novembre, le climat est plutôt à l'optimisme, et les marques d'opposition au régime de Vichy plus largement et ouvertement affichées. Comme en 1941, les Français réagissent aux appels de la BBC et les manifestations orchestrées à l'occasion des

1er Mai et 14 Juillet 1942 rassemblent plusieurs dizaines de milliers de personnes dans les rues de grandes villes comme Marseille, Lyon, Paris, Toulouse, et des centaines d'autres ailleurs. *« Vous avez bien signalé les manifestations des grandes villes, mais je vous signale celle d'une petite ville du Rhône, Thizy... »* (lettre du 26 juillet).

Il faut dire que la dégradation des conditions de vie, couplée à l'instauration de la relève, voulue par les Allemands et Laval, finit de creuser le fossé entre les Français et Vichy. Quant aux grandes rafles des Juifs de l'été 1942, elles provoquent un choc, lisible dans la correspondance. Dès lors, la Résistance intérieure gagne en sympathie et le mouvement gaulliste se gonfle de nouveaux partisans qui entendent agir. De façon très significative, dans ce climat délétère où les médias autorisés se vautrent dans la fange collaborationniste, les premières lettres de dénonciation de collaborateurs arrivent à Radio Londres. Le temps des règlements de comptes semble approcher.

Sur fond de campagne contre la relève, autour du slogan *« Ne va pas en Allemagne »*, les membres de la BBC continuent de soutenir le moral des Français et de les préparer pour le jour J, malgré quelques erreurs stratégiques. Ainsi, les Britanniques vont laisser entrevoir un débarquement imminent sur les côtes françaises, créant une vive impatience, et leur politique de conciliation avec les vichystes d'Alger, en novembre, aura le don d'exaspérer l'auditoire profondément gaulliste. *« Décidément, les Américains ne connaissent pas les Français »*, ironisent deux Marseillaises, le 3 septembre 1942.

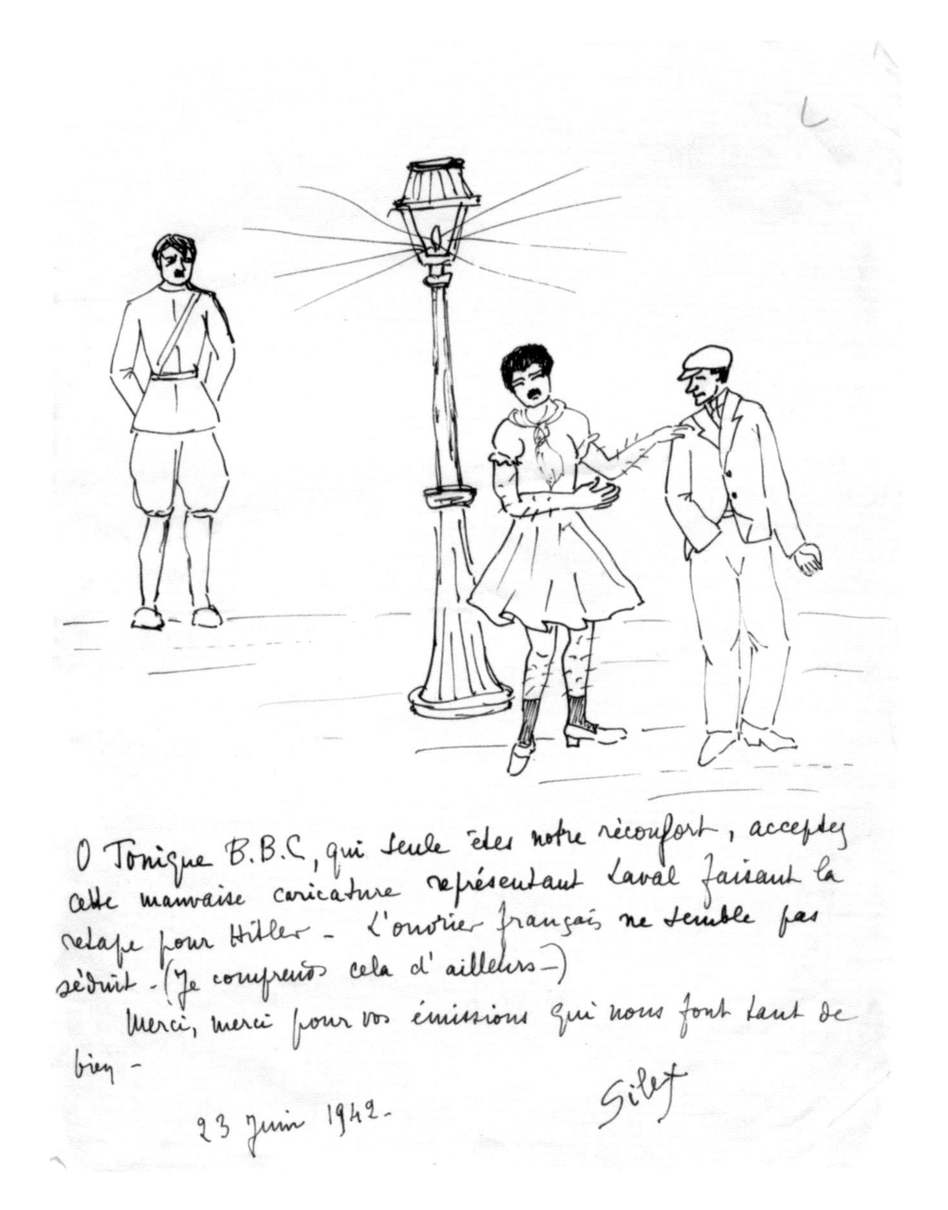

O Tonique B.B.C, qui seule êtes notre réconfort, acceptez cette mauvaise caricature représentant Laval faisant la retape pour Hitler – L'ouvrier français ne semble pas séduit – (Je comprends cela d'ailleurs –)

Merci, merci pour vos émissions qui nous font tant de bien –

23 juin 1942.

Silex

Dans une enveloppe postée à Brive-la-Gaillarde, le 23 juin 1942, « Silex » glisse un dessin représentant Laval qui tente de convaincre un ouvrier de partir travailler en Allemagne.

LA LETTRE DE « NEUNEU »

C'est la sixième lettre qu'Yvette envoie à la BBC. Cette jeune fille de la région parisienne, comme d'autres Français, joue le rôle de porteuse ; elle se démène pour acheminer, via la Suisse, les missives qui lui sont confiées. Rien ne l'arrête.

Genève, 6 mars 1942

Chers amis anglais et français libres,
Quelques lignes pour vous remercier de m'avoir avisée par la voie des ondes que vous aviez reçu ma lettre et celle de « Neuneu et Cie ». Certainement, « ils » auront été très heureux d'apprendre que leur message vous était parvenu. Si je ne vous parle pas de façon plus positive, c'est tout bonnement que je ne connais pas Neuneu. Sa lettre m'était parvenue par des amis communs (qui ont les mêmes convictions que nous). Et bien entendu, je n'ai pas refusé, malgré une éventuelle fouille à la douane, de rendre ce petit service à un aussi fervent gaulliste.
[...] Mes parents, chaque fois qu'ils apprennent par vous que je vous ai écrit, sont très effrayés et me disent : « Fais bien attention, tu n'es pas prudente, tu pourrais être découverte, etc., etc. » Eh bien ! Même si les Boches (ou les Français qui sont à leur service) me découvraient, même s'ils m'arrêtaient, tout cela me serait bien égal, puisque dans mon for intérieur je sais que nous aurons la victoire, amis. [...]
Si vous saviez comme je suis fière d'arborer, sur mon manteau, l'insigne RAF. Un jour, un admirateur de Musso, qui portait, lui, l'insigne fasciste, le regardait d'un air vraiment enragé !
[...] Amis, pour terminer cette missive un peu embrouillée (je ne suis pas écrivain, mais ce que je dis vient du cœur), je vous dis à nouveau : Vive l'Angleterre, de Gaulle, la France et tous les braves de nos deux pays et des pays alliés.

Yvette

LE CODE SECRET

Désir de résistance ! Des patriotes regroupés en un mouvement local se tiennent prêts à agir et espèrent un contact plus direct avec d'autres combattants, via Radio Londres.

16 AVRIL 1942

Messieurs,

C'est un groupe de LFL d'une petite ville du Territoire de Belfort aux frontières de l'Alsace et de la Suisse qui vous écrit. Depuis longtemps déjà nous voulions vous écrire, mais le plus difficile était de faire passer la lettre. Enfin, une occasion inespérée s'est offerte à nous, que nous n'avons pas manquée.

[...] Dès la fin de 1940, nous nous sommes groupés en une organisation secrète que nous avons baptisée « Ligue du Français libre ». C'est nous qui inondons les murs de notre ville de V, de croix de Lorraine et placardons des dizaines d'affiches invitant la population à une résistance toujours plus grande. Notre mouvement devient toujours de plus en plus puissant car chaque mois de nouveaux membres se joignent à nous. Notre activité est incessante et nous avons obtenu de beaux résultats.

Nous vous demandons, si vous le pouvez, de nous donner des directives par radio, ou si possible par lettre, et de nous mettre en relation avec un groupement semblable au nôtre ou avec un de vos agents. [...]

1- Faire impossible venir nous délivrer cette année d'ici l'automne car l'an prochain à cette saison, la situation en France serait pareille qu'à l'heure actuelle.

2- Trouver le moyen de renseigner agents secrets sur le moment du débarquement pour permettre aux ligueurs de la

LFL une aide aux troupes de débarquement. Donner consignes à ce sujet en temps utile.
3- Faire plusieurs tentatives simultanées de débarquements pour disperser les forces allemandes en ayant un seul objectif sur lequel devra se porter le principal effort.
Nous joignons à notre lettre, à tout hasard, le code chiffré secret que nous utilisons entre nous.
Veuillez agréer, Messieurs, nos respectueuses salutations et pour tout ce que nous vous demandons, nos plus sincères remerciements.

« La Ligue du Français libre »

L.F.L CODE SECRET. H331

A	B	C	D	E	F	G	H	I
9	7	5	3	1	8	6	4	2
J	K	L	M	N	O	P	Q	R
10	12	14	16	11	13	15	17	20
S	T	U	V	W	X	Y	Z	
22	25	23	50	100	30	40	60	

« La Ligue du Français libre » envoie à la BBC le code secret établi pour leurs communications.

-Nous joignons à notre lettre, à tout hasard, le code chiffré secret que nous utilisons entre nous.

Veuillez agréer, Messieurs, nos respectueuses salutations et pour tout ce que nous vous demandons nos plus sincères remerciements.

"La Ligue du Français Libre"

9 avril

4

LIGUE DU
FRANÇAIS
LIBRE
L. F. L.

FRANÇAIS

SI BEAUCOUP D'ENTRE VOUS SOUTIENNENT LES ALLIES, IL EN EST QUI MALHEUREUSEMENT LES CRITIQUENT, NE SE RENDANT PAS COMPTE DE L'IMMENSE TRAVAIL A ACCOMPLIR. L'ANGLETERRE, NOTAMMENT, A DES MILLIERS DE KMS DE FRONT A SOUTENIR ET TOUTES LES MERS DU MONDE A SURVEILLER. VOUS QUI DETESTEZ L'ENVAHISSEUR COMMENT CONCEVEZ VOUS L'ANEANTISSEMENT DE L'ALLEMAGNE NAZIE AUTREMENT QUE PAR LES ARMES. ON NE PEUT TENTER UN DEBARQUEMENT QU'APRES UNE PREPARATION MINUTIEUSE C'EST A DIRE EN ETANT CERTAIN DE LA REUSSITE.

FRANÇAIS. QUAND CE DEBARQUEMENT AURA LIEU, IL FAUDRA REPRENDRE LES ARMES POUR LIBERER NOTRE FRANCE DE L'EMPRISE GERMANIQUE.

LA L. F. L. MARCHERA A VOTRE TETE
N'AYANT QU'UN SEUL BUT
LA VICTOIRE DES ALLIES.
COURAGE! LA LIBERATION APPROCHE.

Reproduction d'une des affiches

Transcription pages 144-145.

« Nous aimerions que
vous répondiez par radio
à notre lettre, de préférence
le vendredi, car ce jour-là
en particulier nous pouvons
tous être à l'écoute.
Nous pensons que
cette lettre ne sera pas
la dernière que nous
vous enverrons, nous vous
écrirons aussi souvent
que nous le pourrons. »

« La Ligue du Français libre », 1er avril 1942

À la suite de l'invasion de l'URSS par l'Allemagne, la propagande antibolchévique s'intensifie en zone occupée : campagnes de presse, affiches, expositions…, Paris, 1942.

CERISAIE
MIMI PINSON
CAF' CONC' MUSIC-HALL
ICI
DANS TOUT PARIS, CHAQUE VENDREDI
consultez
ANNONCES AFFICHES
ALHAMBRA
MILTON
BARBARA LA MAY
RESQUILLONS
GABRIELLO
CINEPHONE ELYSEES
TINO ROSSI
FIEVRES
AU GRAND JEU
SWING
AUBERT-PALACE
DEDE-LA-MUSIQUE
JAZZ
PARIS
DERNIERE EDITION
TOUS LES VENDREDIS
200
LISEZ ET UTILISEZ
ANNONCES AFFICHES
LA FAMILLE EST LA BASE DE LA SOCIETE

AUX TROIS AMIS

Cette jeune Parisienne qui signe symboliquement « Croix de Lorraine » *envoie sa lettre par l'intermédiaire du consulat d'Angleterre à Lisbonne. Arrivé à Londres le 28 avril 1942, le courrier est transmis à Émile Delavenay, chargé d'établir des synthèses des lettres de France.*

Avril 1942

Aux trois amis : Pierre, Jacques et Jean, de la BBC (émissions en langue française à Londres)
Depuis bientôt deux ans, malgré la défense qui nous en est faite, je vous écoute chaque jour, comme d'ailleurs la presque totalité des jeunes filles de mon lycée. Nous savons par le « Courrier de France » que vous connaissez bien l'état d'esprit de la majorité des Français de la zone occupée.
Je ne dis pas de la France, car, venue pour quelques jours en zone libre, j'y ai constaté un esprit de quiétude, de désintéressement à l'égard du conflit qui déchire le monde, une indifférence envers les Français restés sous la « botte », qui m'ont surprise. J'y ai entendu souvent dire : « Que ce soit les Anglais ou les Boches qui gagnent, notre sort sera le même. » Faites comprendre à ceux qui parlent ainsi qu'il n'en est rien et combien nous aurions à perdre avec une victoire allemande. En zone libre, on n'a pas faim comme de l'autre côté : un peu d'« occupation » allemande leur ferait du bien.
[...] Votre « discussion » a toujours un énorme succès auprès de la jeunesse. À défaut de télévision, nous essayons, par le son de votre voix, par les expressions de votre langage, par votre enthousiasme, de nous représenter comment vous êtes. Chacune de nous a son préféré. Le mien est Pierre Bourdan. N'en soyez pas jaloux, Jacques et Jean : vous avez vos admiratrices.

[...] Il faut continuer à bombarder tous ceux qui, en France, travaillent pour les Boches. J'ai visité les abords des usines Renault*. Ça c'est du beau travail ! Quel dommage qu'il y ait eu des morts dans la population civile. Nous les pleurons, mais nous n'en voulons pas aux Anglais. Nous savons qu'ils ne l'ont pas fait exprès et que c'est pour notre délivrance. Une prière encore. Chaque fois que vous le pourrez, répétez que ce sont les Boches qui sont responsables de la guerre, qui l'ont voulue, qui l'ont provoquée. Trop de gens disent en France : « Nous n'aurions pas dû déclarer la guerre. » Comme si nous pouvions faire autrement.
[...] La jeunesse de France des lycées vous crie : continuez à ridiculiser nos oppresseurs, à nous faire rire à leurs dépens, continuez à nous faire espérer la délivrance. Nous avons eu froid cet hiver, nous avons faim, mais cela ne fait rien, nous ne collaborerons pas pour avoir du charbon ou un morceau de pain. Vive la France !

Croix de Lorraine

* Le 3 mars 1942, la RAF bombarde les usines Renault de Boulogne-Billancourt qui travaillent pour l'Occupant. Le 5 avril et le 15 septembre 1943, nouvelle frappe par l'US Air Force. Pour ces trois bombardements, le bilan s'établit à 584 morts, 658 blessés et plus de 150 immeubles détruits.

LE RETOUR DE LAVAL

Il revendique son statut d'homme éclairé et lucide, loin du « carré de naïfs », *de crédules et d'imbéciles qui croient encore au maréchal et à son patriotisme. Ce Cannois est fixé* « depuis belle lurette » *!*

CANNES, 26 AVRIL 1942

Chers amis de la BBC,
La dernière crise politique qui a vu revenir Laval au pouvoir a fini d'ouvrir les yeux à la plupart de ceux qui croyaient encore, envers et contre tout, au patriotisme du maréchal*.
[...] Pétain est le Français que je hais le plus. Pourquoi ? Parce que, derrière sa figure d'honnête homme et ses étoiles,

* Le 18 avril 1942, sur demande de l'occupant, Pierre Laval revient au pouvoir comme chef du gouvernement. Le 22 juin, il déclare souhaiter « la victoire de l'Allemagne. » Désormais toute la politique du pays est subordonnée à l'insertion dans l'Europe allemande, sur un fond de combat antibolchevique.

Pierre Laval avec Rudolf Schleier, adjoint de l'ambassadeur allemand à Paris, Otto Abetz, Compiègne (Oise), août 1942.

il cache l'âme du plus ignoble gredin, l'esprit le plus hypocrite. Je préfère, si l'on peut dire, la face crapuleuse du bougnat. Avec cette canaille-là du moins on sait à qui on a affaire, tandis qu'avec cet habile vieillard... Il s'adresse à vos sentiments... Il a des trémolos dans la voix... ce qu'il doit jubiler après ces discours et ses déclarations !! [...] Il est incontestable que Pétain jouit encore en zone dite libre [...] d'une certaine autorité auprès de quelques égarés, aussi Laval a-t-il sollicité l'appui du maréchal pour accomplir sa nouvelle tâche. [...] Le maréchal a déclaré que Laval et lui ne faisaient qu'un : « Il est sous mon autorité et c'est ensemble que nous avons jeté les bases de l'œuvre nationale et d'organisation européenne. » On ne peut pas mieux dire. Impossible de s'y tromper. Pétain avait le choix entre se taire ou relever la tête. Il a choisi une troisième solution, couvrir Laval de sa personne. En résumé, c'est un bien triste personnage dont le nom restera éternellement honni.

Paul 485

UNE FEMME DE COURAGE

Son pseudonyme dit tout de lui. « Guillaume Tell », ingénieur, envoie des rapports dactylographiés, très complets, entre le 5 juin 1941 et le 7 juillet 1943. Ses courriers expédiés de Grenoble, via Berne, « une voie sûre », *dressent un tableau de l'opinion, livrent informations et conseils.*

30 AVRIL 1942

Messieurs,

Je suis bien content que mes lettres vous parviennent : j'ai été heureux de vous entendre lire la prose de Guillaume Tell les 13 et 14 mars dernier à 20 h 30 et je vous en remercie très vivement. [...]

Dans l'Isère, la propagande antiboche a été faite avec esprit de suite et sur une large échelle. Elle a porté ses fruits.
Le Dauphiné, fidèle à ses traditions libérales, est certainement une des provinces de France non occupée où l'esprit de résistance est le plus développé. On y distribue et on y lit avidement, à ma connaissance, cinq feuilles clandestines : *Combat*, *Liberté*, *Libération*, *Vérité* et *Franc-Tireur* [...]. L'excellent journal *Volontaire*, la jolie brochure *Le général de Gaulle*, la *Lettre de la France libre*, et bien d'autres publications, revues illustrées et photos, soigneusement et même luxueusement imprimés*. [...]
La propagande à Grenoble vient d'encaisser un coup assez dur.
Une perquisition a eu lieu dans un appartement voisin de celui de M. Z., chez qui j'allais précisément chercher des exemplaires de *Libération*. Une autre perquisition a eu lieu quelques jours plus tard dans le même pâté de maisons. Ont été arrêtés le 18 avril et emmenés par une voiture de Police secours :
• M. Thibault Merklen, Alsacien, rue Auguste-Gâché,
• Mme Gonnet, mère de huit enfants, enceinte d'un neuvième, femme d'un avocat de Grenoble, ancien président du syndicat d'initiative, rue Casimir-Périer,
• et le 22 avril M. Audier, rue Bayard.
Mme Gonnet, transférée à Lyon, vient d'être mise en libération provisoire. Elle est alsacienne, et avait parfaitement organisé son petit service de diffusion de tracts. C'est une femme énergique. Cet hiver, portant un paquet de documents à la nuit tombée, elle a glissé sur le verglas et s'est foulé la cheville. Des passants l'ont relevée et ont voulu la faire bander dans une pharmacie. Elle a refusé à

* Outre les publications clandestines diffusées en France par les mouvements de la Résistance intérieure, des journaux de la France libre et autres documents publiés par les Alliés sont largués sur le territoire français par la RAF.

cause de ses tracts et a mis une demi-heure, sur le verglas, souffrant beaucoup, à rentrer chez elle.
Merklen et Audier sont au fort Montluc, à Lyon.
Quant à M. Z. il n'a pas encore été inquiété. [...]
Dans cette affaire, il y a une dénonciation : un propagandiste nommé Colombet s'est fait pincer au moment où il glissait des tracts dans les boîtes aux lettres. Cet imbécile a parlé.
Il faut dire à sa décharge que la police de Pucheu* (ou de son successeur) n'est pas tendre.

Guillaume Tell

* Secrétaire d'État à la Production industrielle en février 1941, puis à l'Intérieur de juillet 1941 à avril 1942, Pierre Pucheu crée les Groupes mobiles de réserve (GMR) et des tribunaux d'exceptions, les Sections spéciales, chargés de la lutte « antiterroriste ». Il est fusillé à Alger, le 20 mars 1944.

UNE PETITE FILLE VIENT DE MOURIR

Au milieu de ses rapports d'informateur, de ses listes de collaborateurs et de résistants, Guillaume Tell écrit un jour une lettre poignante, celle d'un père qui vient de perdre sa fille de 15 ans, et qui veut partager sa douleur avec ses « amis des FFL ».

Grenoble, 30 avril 1942

Mes chers camarades des FFL,
J'ai hésité longtemps avant de vous adresser la lettre ci-jointe, écrite quelques semaines après la mort de ma dernière-née, mort survenue le 10 septembre 1941.
J'ai hésité parce que j'ai craint de m'exagérer, dans mon amour paternel, la valeur spirituelle de mon enfant.
[...] Fidèle auditrice de la BBC (car son infirmité cardiaque la retenait souvent à la maison), ma petite Minou, grâce à l'ascendant qu'elle possédait sur ses compagnes de classe, a contribué, dans la faible mesure de ses forces, à la propagande des Français libres. Par ses prières quotidiennes, elle a travaillé et je suis convaincu qu'elle travaille encore à notre victoire finale.

Zone libre 1 Mai 993 L
arsenal de roanne fait
materiel
France rayonne fait poudre
la légion approuve
une partie des gens de
religion sont contre le
général de gaule
nous les opprimés sont
avec vous
mais nous sommes
impuissants a vous de
nous délivrer
sourtout faites vite
nous mourront de faim
et seront fusillés si
obéissont pas

Cette lettre non signée, à l'écriture enfantine, écrite le 1er mai 1942, arrive à Londres un mois plus tard.

« Mes chers camarades des FFL,
Une petite sainte vient de mourir, une tendre petite fille, fraîche comme la rosée du matin, une vaillante petite Française qui aimait beaucoup les Anglais. Elle allait avoir 15 ans et se savait condamnée. Son pauvre cœur malade, et gonflé d'amour, mais si malade, a fini par se briser.
Au cours de sa longue journée d'agonie, accablée d'une lassitude infinie, haletante mais pleinement lucide, débordant d'affection et illuminée d'une foi merveilleuse, elle a soudain dit à sa mère : "J'offre ma vie en sacrifice pour la France", et comme sa mère rassemblant tout son courage balbutiait entre deux sanglots : "Ma chérie, il va falloir donc nous séparer", l'enfant a levé sur elle ses grands yeux brillants d'un éclat inaccoutumé, et lui a répondu : "Ne pleurez pas, maman, je serai si heureuse..., je prierai pour vous, pour la France, pour la victoire alliée et pour mes chers petits Anglais."
[...] Ses "chers petits Anglais", des officiers du corps expéditionnaire britannique, gentils pour elle et délicats comme de grands frères. Ils gâtaient beaucoup cette petite Française, réfugiée à Rennes en mai 1940, qui parlait couramment leur langue et qui chaque soir après le dîner allait s'asseoir à leur table de l'hôtel Duguesclin. Elle aimait surtout un jeune major du Royal Army Medical Corps : elle l'avait choisi comme filleul de guerre : il l'appelait "*mon* petite marraine". [...]
Calme maintenant et déjà lointaine, dans la pénombre du crépuscule, elle a dit adieu aux siens et à ceux qu'elle a aimés puis sa voix s'éclaircit : "Papa, je m'en vais, vous n'oublierez pas de prévenir le major ; vous lui direz que j'ai beaucoup pensé à lui. Je voudrais bien que vous m'apportiez mon petit

drapeau." C'était un petit drapeau britannique en soie, souvenir d'une fête de charité interalliée, sur lequel elle a cousu les insignes que lui ont donnés ses amis, officiers anglais. [...] La petite Française porte le drapeau à ses lèvres et fait un signe de croix. Une demi-heure plus tard, dans un dernier appel, "Vite, vite, papa", dans une syncope et dans un cri, son cœur a cessé de battre.
Mon enfant, ma bien-aimée, toi que nous chérissions plus que tout au monde, tu étais trop belle pour demeurer parmi nous, mais ton départ nous laisse pantelants et déchirés !
[...] Mes chers camarades des FFL, je ne puis vous décrire ici la vie de résignation et d'amour de cette petite Française, la précocité de son jugement et l'intense rayonnement de sa piété. Si humble, sur cette terre, elle s'est présentée au Juge suprême, forte de son innocence, de ses renoncements et de sa foi. En franchissant courageusement le seuil redoutable de la mort, elle n'a pas oublié ni ses affections, ni ses espérances, ni son adhésion fervente à votre lutte sacrée... à notre lutte. »

Guillaume Tell

1ER MAI À PONTARLIER

Située en zone libre, Pontarlier est l'une de ces villes françaises qui répondent à l'appel à manifester le 1er mai 1942, de 18 h 30 à 19 h 30. Sur fond de campagne contre la relève, la BBC enjoint les Français à défiler devant les mairies ou les statues de la République.

PONTARLIER, 4 MAI 1942

Chers amis,
J'ai tenu aujourd'hui à vous raconter un petit peu notre 1er Mai... Dès 18 h 30, tout un peuple portant en guise

d'insigne un petit bouquet de muguet se massait devant la mairie et défilait le sourire aux lèvres en parlant de ce mot venu sur toutes les lèvres : « On manifeste pour notre général de Gaulle. » Pendant une longue demi-heure, lentement, serré et victorieux le peuple pontissalien montrait aux « gris verts » obligés de passer au milieu de la rue qu'ils n'avaient qu'un chef, un vrai chef sur qui personne n'avait de portée et d'influence. Des vieux de 45 à 50 ans passèrent à vélo. Arrivés au coin de la mairie, ils descendirent de vélo et marchèrent les yeux tournés vers la foule, jusqu'au bout du bâtiment, puis légers, ils remontèrent sur leur bicyclette. Un petit nain, qui marchait très difficilement, fit deux ou trois tours, sur une canne, devant le bâtiment républicain.
La police veillait. Debout sous le porche face au peuple, cinq policiers montaient la garde. On sentait tout de même dans leur regard un peu de honte à faire ce rude métier pour un peuple barbare et ennemi.
Mais leurs compatriotes, en civil, manifestaient pour eux et le mérite était d'autant plus grand. Tout le monde avait la tête haute et l'on sentait qu'au milieu de cette « verdure florissante en ce jour du 1er Mai, nous étions encore en fleurs ». La France vit toujours et comme disait Giovanni ou Médicis à Borgia : « Ma forteresse est en mai. »
La France n'est pas vaincue, l'Allemagne n'est pas vainqueur. La France blessée se guérira mais l'Allemagne « mourra » pour ne pas dire une autre chose. [...]
Waterloo - Vaincre ou mourir.

None

P.S. : Bonjour de nombreux amis : Marius-Jean qui donne le bonjour à son frère Minet de Pontarlier qui est en Angleterre, Georges, Raymonde, Gilberte, Simone et Baby.

UNE LUTTE PERPÉTUELLE

La lassitude gagne les foyers, l'attente d'une libération prochaine commence à peser, et même les plus fervents anglophiles comme ce groupe de Lyonnais, correspondants réguliers depuis le 31 décembre 1941, font preuve d'un état d'esprit en berne.

LYON, 19 MAI 1942

Aux Français libres et Alliés,

Ne nous bercez pas trop d'espérances si elles ne doivent se réaliser qu'à des échéances lointaines. D'une façon presque générale, nos nerfs continuellement surmenés, et nous trouvant affaiblis par un manque de nourriture qui se fait de plus en plus sentir, nous réagissons moins bien contre un espoir déçu que devant une réalité même pénible. Voilà bien longtemps que vous nous entretenez de l'ouverture d'un second front, et là-dessus nous avions fondé d'immenses espoirs. Nous voilà vers fin mai, et non seulement rien de nouveau ne s'est produit, mais voilà que vous commencez à nous parler de la campagne 1943. Si vous connaissiez notre situation, vous comprendriez quelle est notre terreur en songeant qu'il nous faudra encore supporter une campagne d'hiver. Cette lutte perpétuelle est déprimante au possible, surtout que nous luttons à armes par trop inégales, et sauf les lettres que nous vous écrivons où nous pouvons dire ce que nous pensons, il nous faut continuellement réfréner nos paroles et surveiller nos écrits. [...]

De tout cœur, nous sommes et resterons toujours aux côtés de tous les Alliés.

Un groupe de Français et Françaises

SOUS SURVEILLANCE

La lettre est longue, huit pages, « pour rattraper le retard d'un an », *explique cette jeune étudiante française. Les Anglais, inquiets de son contenu, conseillent aux speakers de la BBC de ne pas diffuser à l'antenne de détails compromettants qui permettraient aux Allemands d'identifier son auteur.*

D'UNE PETITE VILLE SITUÉE SUR LA LIGNE DE DÉMARCATION, 25 MAI 1942

C'est une jeune étudiante française qui vous écrit pour la troisième fois. En effet les deux premières lettres que je vous ai envoyées le 1er janvier 1941 et le 15 avril 1941 sont arrivées à destination puisque je l'ai entendu à la radio. J'enverrai celle-là à ma petite amie anglaise qui vous la transmettra ; il y a déjà longtemps que j'avais pensé à faire ainsi et j'ai utilisé ce moyen en février dernier pour vous faire parvenir une lettre d'amie [...]. Mon courrier a été surveillé pendant trois semaines et comme j'avais été averti de cela par une gentille personne craignant une perquisition, j'ai ramassé tous les papiers que je possède (tracts, journal quotidien de la guerre et de vos émissions), j'en ai fait un paquet que j'ai donné à une camarade car je ne voulais à aucun prix les faire disparaître pour vous les montrer un jour. Je n'ai pas été inquiétée. [...] Aujourd'hui, jour de Pentecôte [...], je vais faire mettre cette lettre dans la région de Marseille par une camarade qui y va et j'espère de tout cœur qu'elle vous arrivera le plus vite possible car j'entends souvent dire que vous recevez des lettres de par là et même assez rapidement. [...] Je veux vous parler de ma petite amie X. Elle a été arrêtée le 17 juin 1941 (triste anniversaire) par les Boches en même temps que ses patrons. Elle avait dans son sac une quarantaine de lettres qu'elle venait de passer ou qu'elle devait passer. Elle avait à peine 14 ans et demi et cependant ils l'ont emmenée à Paris, à la prison du Cherche-Midi*,

* Ancienne prison militaire parisienne, le Cherche-Midi est utilisé par les Allemands pour y interner des opposants politiques et des résistants. À la libération de Paris, elle abrite des prisonniers de guerre allemands.

985

COTE D'UZUR XII MAI XXXXII.

FRANCE LIBRE - LONDRES

AMIS ET CAMMARADES.

UN GROUPE QUI SUIT REGULIEREMENT VOS EMISSIONS - FÉLICITATIONS POUR VOS BONBARDEMENTS DE TOUTES USINES TRAVAILLANTS POUR LES FACISTES, ET CELA PARTOUT OU ELLES SE TROUVENT.

D'ACCORD - IL VOUS FAUT D'EXTRÊME URGENCE PRÉPARER UN NOUVEAU FRONT (QUI A MON AVIS POURAIT ETRE EN FRANCE) POUVONS CERTIFIER QUE DES CENTAINES DE MILLIER CITOYENS FRANCAIS SE JOINDRONS A VOUS, DONC VENEZ VITE (TRES VITE) ET AVEC VOUS APPORTEZ DE TRES NOMBREUSES ARMES ET MUNITIONS - NOUS ATTENDONS CE GRAND JOUR AVEC UNE JOIE DÉLIRANTE ET AVONS HATE D'EN DÉCOUDRENT AVEC TOUS CES FACISTES, TANT EXTERIEURE (QUE INTERIEURE).

IL YA EXTRÊME URGENCE, CAR LES PEUPLES OPRIMÉS SONT DANS LA FAMINE, SAUF LES FACISTES A QUI TOUTES LES COMBINES SONT OUVERTEMENT AUTORISÉS.

ATTENTION - SUR NOTRE D'UZUR, NOUS AVONS UNE V COLONNE COMPOSÉS PRINCIPALEMENT DE FACISTES ITALIENS (TRISTE PRIVILEGES) MAIS NE LES CRAIGNONS CAR LE COURAGE NE LES ETOUFFENT PAS.

AVONS CELEBRÉ I^ MAI DANS LE SILENCE TOUT C'EST PASSÉ SANS INCIDENTS - MAIS LES LYONNAIS (EUX) ONT EU DU CRANT - BRAVOS LES GÔNES

NOS JOURNAUX ET RADIOS MENTENT COMME ILS RESPIRENT, LEURS ACCORDONS CIRCONSTANCES ATTENUANTES D'ETRES SOUS CONTROLES FACISTES - MAIS IL EN EXISTES CERTAINS OU'IL FAURA SÉVEREMENTS CHATIERS

1

La grande majorité des lettres sont anonymes. Les auditeurs utilisent très fréquemment des pseudonymes faisant référence à la Révolution française, un « sans-culotte », « 89 », « 93 »…

LES GAZES_ AVONS LA PRESQUE CERTITUDE QUE LES ALLEMANDS S'EN SERVIRONT, DONC PRENEZ D'URGENCE VOS PRÉCAUTIONS = PUIS VOUS SUPLIONS DE FAIRE TOUT CE QUI SERAS EN VOTRE POUVOIR POUR ÉPARGNER NOS CHERS PRISONNIERS.

4 AVEC CERTITUDE DE LA VICTOIRE = NOUS DISONS VIVE LA FRANCE LIBRE = VIVE NOS BRAVES CAMMARADES RUSSES_ AMITIES ET REMERCIEMENTS A LA GRANDE NATION AMERICAINE (CAR NOS PETITS ENFANTS SAVENT ÇE SOUVENIR) _NOTRE ADMIRATION A LA NATION ANGLAISE _ EN RÉSUMÉ NOTRE AMITIES ET REMERCIEMENTS A TOUS LES ALLIES.

VITE_TRES VITE PASSONS A L'OFFENSIVE

POUR RAISON VESTIMENTAIRE
JE SIGNE
UN SANS CULOTTE

5 VOTRE RÉPONSE DEVRA ÊTRE RADIOFUSÉ PLUSIEURS FOIS CAR LE BROUILLAGE SEVIT BRUTAL ET CONSTANT.

et l'ont mise dans une cellule noire pendant trois semaines. Vous voyez comme ils sont humains à son âge : c'était encore une enfant. [...] Au bout de ces trois semaines, les Boches l'ont emmenée dans une cellule ordinaire où elle est restée huit jours, puis ensuite dans une salle commune. Enfin, après de nombreuses démarches de sa tante qui s'occupait d'elle à Paris, elle a été libérée sur parole au début d'août, mais ne pouvait venir en zone libre où habite sa famille. Elle m'a donné beaucoup de détails sur sa vie dans les geôles allemandes. On leur donnait du café bromuré et leur pain, le pain boche était bromuré aussi. Elle a connu une dame qui avait un an de prison pour avoir appelé son cochon « Adolf ». [...] Ma petite amie m'a raconté aussi que le 14 Juillet toutes les femmes de la prison ont entonné *La Marseillaise* et les Boches ne leur ont rien dit. Cependant celle qui a commencé a eu plusieurs jours de cellule. Un homme qui était condamné à la peine de mort et qui devait être fusillé s'est évadé la veille de son exécution.

n.s.

LES COLLABORATEURS

Ulcéré par les comportements collaborationnistes de ses compatriotes, ce correspondant niçois incite les speakers de Londres à menacer les « vendus » *et mentionne, lui-même, l'identité de collaborateurs notoires.*

NICE, 4 JUIN 1942

Amis français de Londres,

Nice est toujours une ville bourgeoise, peuplée de vieux retraités. Ce ne sont pas avec les bourgeois égoïstes et les retraités que nous chasserons les Boches de France. Ces pauvres gens ne pensent qu'à leur ventre, tremblent pour

Rassemblement de la Milice au vélodrome d’Hiver, 1943.

leurs économies, et respectent le nouveau régime. Ils glorifient Pétain comme ils glorifieront demain de Gaulle. Les plus écœurants de tous ces retraités sont les vieux ratapoils de l'armée. Eux qui n'ont pas su préparer la victoire sont presque tous PPF, PSF* [...]. Ils bavent sur le Front populaire, les Juifs, les communistes et les francs-maçons responsables à leurs yeux de la défaite.

[...] Le mouchardage est magnifiquement organisé par la Légion, les amis de la Légion, les sections des SOL*, le PPF qui est de beaucoup l'organisme le plus dangereux de la région, car il noyaute et dirige tous les autres, en particulier les SOL. Le PPF a casé de nombreux adhérents dans la police qui se fait remarquer par son arrogance et parfois par sa brutalité.

Il conviendra de passer au crible les nominations de fonctionnaires faites depuis l'armistice.

[...] Presque tous les dimanches, de jeunes adhérents du PPF, des SOL sous la protection bienveillante de la police, se livrent à des grossièretés envers des Israélites assis sur la Promenade des Anglais. Distribuant des tracts ou vendant l'émancipation nationale, ils se sont livrés à des brutalités sur de paisibles promeneurs peu empressés à accepter leurs papiers. Une femme a été frappée par ces champions de l'honneur et de la dignité. [...] En conformité des ordres donnés par les autorités de Vichy, on a débaptisé des rues portant des noms israélites. Mais le PPF, qui règne en maître ici, a collé des affiches imprimées sur les plaques du boulevard Gambetta qui est désormais dénommé boulevard Darlan.

La fête de Jeanne d'Arc, [...] la manifestation du 2 mai, la venue de Philippe Henriot ont donné lieu à des

* Voir note page 120. Le Parti social français (PSF) a été fondé en 1936 par le colonel de la Rocque.

* Joseph Darnand, qui dirige la Légion française des combattants dans les Alpes-Maritimes, crée le Service d'ordre légionnaire (SOL) en 1941. Cette organisation paramilitaire qui rassemble les partisans les plus déterminés de la Révolution nationale et de la collaboration devient la Milice français en janvier 1943.

manifestations antianglaises et antigaullistes. La ville a été parcourue par une automobile munie d'un haut-parleur qui vomissait des insultes. La conférence de Henriot*
« L'Angleterre paiera » groupait 3 000 auditeurs légionnaires SOL en service commandé et quelques curieux qui furent écœurés par son langage.
La propagande est dangereuse ici à cause des innombrables mouchards. Nous la faisons quand même. Nous diffusons quelques centaines de Francs Tireurs. Il est difficile de constituer un mouvement organisé de lutte pour la libération. Quand les Alliés auront vaincu, tout le monde ici sera proanglais et gaulliste, surtout les profiteurs de l'ordre nouveau. Nous serons, à ce moment, quelques centaines de bons Français qui n'ont jamais accepté la Révolution nationale pour mettre chacun à sa place.
Le Niçois est nettement anti-italien. Après la guerre, il aura des vengeances à assouvir contre bon nombre d'Italiens fascistes résidant dans leur cité, qui, protégés par les commissions d'armistice, échappent aux rigueurs des lois françaises sur le ravitaillement et font du « marché noir ».
Les Français qui le pratiquent sont tous légionnaires, la devise de la Légion « se servir ».
Je voudrais vous donner plus de détails, la place me manque.
Tous mes vœux pour la victoire alliée qui nous rendra la liberté d'autant plus chérie que nous sommes bâillonnés.
Vive la France libre.

n.s.

*
Catholique d'extrême droite, ancien collaborateur du journal *Gringoire*, Philippe Henriot s'adonne à des éditoriaux haineux sur Radio Vichy dès février 1941. Ses émissions biquotidiennes, fin 1943, ont pour cible privilégiée la BBC. Milicien à partir de mars 1943, il devient secrétaire d'État à l'Information et à la Propagande le 6 janvier 1944. Il est abattu par des résistants le 28 juin 1944.

LES TRAÎTRES

La délation devient un sport national… Habitués aux listes noires déversées sur les antennes de Radio Paris, et encouragés par Radio Londres qui semble procéder de même, des auditeurs de Saint-Raphaël dénoncent ouvertement les mouchards et les traîtres.

Messieurs,

Au mois d'avril dernier, vous nous avez signalé d'une manière fort plaisante un certain monsieur de Montauban et, quelques jours plus tard, plusieurs bordelais dont le nom n'a sans doute pas été oublié de leurs voisins. « Monsieur X, vous voilà prévenu ! » disiez-vous. Nous vous serions reconnaissants de « prévenir » de la même façon plusieurs habitants de Saint-Raphaël (Var).

Saint-Raphaël, coquette station de la Côte d'Azur, doit une partie de sa fortune aux Anglais qui sont nombreux à y avoir des villas ; la ville comme les commerçants et nombre des habitants ont largement bénéficié des largesses de leurs hôtes. Néanmoins les anglophobes s'y montrent virulents, beaucoup par opportunisme certes, cependant quelques personnes mènent une propagande particulièrement ignoble et, s'ils sont connus, leur nom mérite d'être largement diffusé. En voici quelques-uns, nous vous les livrons et vous les recommandons.

En tête voici les mouchards !

• T., escroc, marchand de bois si l'on préfère. C'est le mouchard en chef, payé pour sa triste besogne. Vous pouvez lui faire savoir que nous n'ignorons pas le montant de son traitement.

[…] Puis voilà :

• Le capitaine de corvette M., à figure de magot chinois : aigri, ne sortant pas d'ailleurs de l'école navale, ce triste sire

plaide le faux pour savoir le vrai : il appâte son interlocuteur en invectivant Darlan, puis va répéter tout chaud ce qu'il a appris. Petit employé du 2e bureau, il est chargé de collecter tous les racontars qu'il transmet à ses maîtres : police, Légion, marine. Tourne la tête à de braves gens modestes, flattés d'être des amis de ce semble-marin.
Présentons maintenant quelques collaborateurs « 150 % » !
• Mlle de F., vice-présidente de la Croix-Rouge.
N'a probablement pas mangé assez de petits-fours chez la colonie anglaise ! « La mettre dans le lit d'Hitler serait un jour pour lui le pire des châtiments ! » Le jour du retour de Laval, cette demoiselle s'est écriée au restaurant des Algues où elle prend ses repas : « Enfin on va collaborer avec les Allemands ! » S'est d'ailleurs fait engueuler...
• Mlle S., présidente du foyer du soldat, vieille fille au teint de pain cuit, et sa sœur Mme B., sœur maçon de la société de théosophie.
• Madame M. D., trésorière de la Croix-Rouge, moucharde très dangereuse. [...]
Mesdames, Messieurs, vous voilà prévenus !

Libération d'abord

P.S. : Prière de nous accuser réception à l'émission de 21 h 15. Merci d'avance, Messieurs, au nom des vrais Français de Saint-Raphaël !

LYON 15 JUIN

NE CROYEZ PAS UN M

DE VICHY SUR L'ACCUEIL

FOULES AU MARÉCHAL PET

COMME LES PLEBISCITES

BIEN PAYÉE Y SUFFIT ...

TRANSFORME EN APOTHÉ

L'ON PEUT JUGER VRAI

FOULE FRANÇAISE : QU

ON N'ENTEND JAMAIS U

C'EST UN SILENCE ABSO

DURE PARFOIS PLUSIE

ON N'OSE PAS TROP LE

IRRÉSISTIBLES DU PUBL

LA VÉRITÉ C'EST QU'ON

QU'IL SE SOLIDARISE AV

RÉCOLTE LE MÊME MÉ

Cette lettre postée à Lyon le 15 juin 1942, dont l'enveloppe porte deux timbres à l'effigie de Pétain, est signée « un dur ».

42 1095 L

E CE QUE RACONTE LA RADIO
TENDU ENTHOUSIASME DES
. LES OVATIONS C'EST
ER: DU CHIQUÉ: UNE BANDE
APRESSE SERVILE LES
...C'EST AU CINÉMA QUE
DE CE QUE PENSE LA
PETAIN PARAIT SUR L'ECRAN
UI APPLAUDISSEMENT.
UI L'ACCUEILLE ...ET CELA
MINUTES. QUANT A LAVAL
DUIRE ... CRAINTE DES HUÉES

MARRE DE PÉTAIN. DEPUIS
E TRAITRE LAVAL, IL
S.

L'ANGLETERRE TANT AIMÉE

Y de C. Deux initiales et une particule signent ce message d'amour pour l'Angleterre, dactylographié à l'encre rouge. L'auteur revendique un goût certain pour la littérature et la culture anglo-saxones.

Mercredi 8 juillet 1942

Chère BBC,

Pourquoi j'aime l'Angleterre ?

Avant cette guerre, je l'aimais à cause de Shakespeare et de Gainsborough, de Shelley et de lord Byron ; je l'aimais pour ses vertus si différentes des nôtres, souvent même contradictoires, mais formelles et puissantes, et encore pour sa politesse raide et gentille, cette bonne éducation un peu rigide, parfois un peu arbitraire, qui oppose sa solide barrière aux mufleries de notre époque.

Maintenant, une seule raison a submergé toutes les autres, si valables fussent-elles. J'aime l'Angleterre parce que, quand tout sombrait chez nous et ailleurs, elle est restée l'étoile de l'espoir, le bras du courage, dût-elle souffrir comme le Christ sur la Croix, et parce que, solennellement, ses voix les plus hautes et les plus autorisées, ainsi que le cœur de son peuple, ont promis et décidé de rendre à la France son intégrité morale, intellectuelle et territoriale. Et dans cette promesse, dans ce serment, j'ai une foi absolue, cela, peut-être justement à cause de l'amitié et de la compréhension profondes que j'ai toujours professées envers votre pays. [...]

Notre confiance, c'est encore, toujours, de l'admiration. C'est aussi de la tendresse et une gratitude indicibles. Merci du réconfort que, plusieurs fois par jour, vous nous apportez, chère BBC. Il nous rend notre âme et panse nos douleurs.

Y de C.

UN 14 JUILLET ENSANGLANTÉ

Cette femme adresse par la Suisse sa lettre au « porte-parole des Forces française combattantes ». *Elle témoigne de l'ampleur de la manifestation du 14 Juillet à Marseille, où 100 000 personnes auraient manifesté.*

Marseille, 15 juillet 1942.

Cher Monsieur,

Ah qu'il aurait été heureux notre cher Général s'il avait pu assister ne fût-ce que quelques minutes au triomphe de la manifestation qu'il nous avait inspirée ! Nous faisions partie, parents et amis, d'un groupe de plusieurs milliers de personnes qui partit des Mobiles à 18h10 pour aller jusqu'à la Bourse en chantant *La Marseillaise* [...] puis aux cris de : « Laval au poteau ! La France aux Français » et sur le rythme de la radio « Ne va pas en Allemagne*. »

La manifestation a pris à 6 h 30 de telles proportions que toute la police de Marseille et de tous les environs, la force mobile, les gendarmes étaient sur les dents. Les trottoirs étaient noirs de monde des Réformés à la rue de la République, partout une foule manifestant un enthousiasme indescriptible, aucun véhicule ne passait plus, seule une auto allemande osa se lancer, elle en prit pour son rhume, comme on dit vulgairement. Malheureusement la manifestation a fait quelques victimes. On a tiré d'une fenêtre de la rue Pavillon du PPF deux femmes ont été tuées, deux hommes et un enfant furent blessés.

C'est du bureau de M. Sabiani* même que le meurtrier a tiré, ce lâche attentat commis alors qu'un groupe de manifestants se rendait à la préfecture. [...]

Allez, soyez sûrs, vous, nos amis de la BBC, qu'on tiendra le coup jusqu'au bout. On avait espéré jusqu'ici que tout serait fini avant l'hiver 42/43, mais il faut bien se rendre compte de

* Sous la pression allemande, le 22 juin 1942, Laval instaure la relève. Pour trois ouvriers partant travaillés en Allemagne un prisonnier devait rentrer en France.

* Simon Sabiani, membre du PPF et proche du milieu marseillais, dirige le recrutement pour la Légion des volontaires français contre le bolchevisme (LVF) à Marseille.

cette impossibilité, seulement nous espérons tous que le second front sera ouvert bientôt et que nous assisterons alors au prélude de la grande finale.
Vive la France
Long live England

Cl. R.

UN SYNDICALISTE INDIGNÉ

Dans un courrier dactylographié non daté, un syndicaliste, qui se dit « gaulliste et anticapitaliste », *adresse une lettre-coup de gueule à la BBC contre la lenteur insupportable des Anglais.*

Qu'attendez-vous pour déclencher une offensive sur le continent ? Que les forces militaires russes soient vaincues ? Que les Européens soient massacrés et affamés par les bandits fascistes armés par votre sollicitude en finançant leurs industries de guerre lors de l'avènement d'Hitler et en facilitant leurs conquêtes en abandonnant les républicains espagnols aux complices de Mussolini ? [...]
Croyez-moi, amis de la démocratie, vos spéculations sur le facteur temps ne peuvent pas toujours jouer. Les guerres antérieures ont éveillé l'attention sur votre esprit séculaire et mercantile. La sympathie dont vous jouissez actuellement peut se transformer entièrement en haine lorsque les victimes et les crédules apprendront votre conduite en Espagne, à Munich, et l'aide financière aux industries de guerre en Allemagne.
Écoutez ou non cet ultime appel, mais prenez garde à la colère des peuples que vous pourriez duper par votre attitude équivoque dans ce conflit fratricide et économique.
Un syndicaliste et gaulliste indigné :

Évêque

Sur cette photographie de propagande, des ouvriers français partent avec enthousiasme travailler en Allemagne, le 17 juillet 1942, à Paris.

no 64 les numéros 1 à 63 sont sur la feuille blanche ci-jointe

Air : « Elle a un caractèr' en or-e, Éléonore, Élé[illegible]

Refrain

Il ne gagnera pas la guerre, Adolf Hitlère, Adolf Hitlère

Il a eu beau envahir tout, Il ne tient pas l' bon bout

Mais les Alliés gagn'ront la guerre, Viv' l'Angleterre ! Viv' l'Ang[illegible]

Churchill ! Roosvelt tienn' le bon bout

Et De Gaull veng'ra tout

no 65 Air de Carmen : Toréador, en garde

— Refrain —

Coquerico ! Chanteclair crie bien haut. Coquerico ! Coque[illegible]

Le Général de Gaulle sauvera la France

Roland plein de vaillance !.. Français libr' [illegible]

Chantons Coquerico.

66 Air : Ell' lisait le p'tit Parisien — Refrain — voir 3e couplet [illegible]

On n' lit plus le p'tit Parisien, On n' veut pas les Boch' ni d' leur politi[illegible]

On n' écout' pas tous ces vauriens, On n' écout' la Franc' libr' soir et [illegible]

1e couplet

Les Laval vomiss' dans leur Pourrissoir

Mais nous n' voulons pas les journaux d' Hitlère

La radio Boch' gueul' du matin au soir

Mais les Français la mett' sous l'étouffoir

2e couplet

N' gaspillons pas notr' électricité Pour entendre la Gestapo d' Goebbel[illegible]

En Franc' la radio n'a plus d' liberté : C'est la Franc' libr' qui nous voulo[illegible]

67 Air : Ah ! qu'il était beau mon village —

Refrain

Ah ! qu'il était beau sans les Boches, notr' Paris notre Par[illegible]

On n'y jargonnait point bancroche, car personn' n'y parlait [illegible]

Les Boch' ne paradaient pas, sur l'écran des cinémas,

Et Hitlère n'était pas là !.. On n' voyait pas dans l' métro

Rôder la vert' Gestapo, ni les cochons de Bénito !

Ah ! qu'il était beau sans les Boches, notr' Paris notre Pari[illegible]

68 Air : Ya des loups [illegible] Refrain : Y a des Boches, y en a partout, Des Boch' qui nous pillent qui nous volent to[illegible]

Y a des Boches, y en a partout, Des Boch' qui nous [illegible]

Sur un faire-part de décès, symbole de la France en deuil, un auditeur envoie les chansonnettes qui circulent parmi la population. L'humour comme acte de résistance.

Air : Ell' s'était fait couper les ch'veux

Refrain

[Il]s étaient collaborateurs
[illegible] L'amiral et Lavale
[Il]s étaient collaborateurs
[Il]s emboîtaient le pas au Fureur.
[M]ais bientôt les alliés vainqueurs,
[Le]s f'ront à la mer - e : Hitler e
[N]ous ferons pendre Nous ferons pendre
[Pe]ndre les Collaborateurs

I couplet

[D]arlan fait la navett' de Paris à Vichy
[On] savons dir' pourquoi cette manie lui a pris
[Il] aim' tellment Laval qu'il n'os' même pas s' montrer
[illegible] qu'à Paris l'lui permett' de se torcher _

II

[Y a] pas d' Français dans l'Rassemblement populair'
[Ri]en que tous les gredins qui sont venus s' [illegible] Hitler
[Y a] pas d' Français non plus dans Kenad' Vichy Etat
[illegible] vent pas d'ces franc[illegible] -là

III

[Ils ont] beau manigancer leur mic-mac
[illegible] jusqu'au bout de l'Irak
[illegible] pourra pas abattr' chantecler
[illegible] collabor' pas avec Hitler

Refrain

Allobroges vaillants
Jeanne d'Arc vous envoie
Il faut sauver la
France du joug ennemi
Debout les Savoyards
Courons avec de Gaulle
Sauvons notre pays !
Mourons pour lui

on leur cass'ra l'cou

I Couplet des Allobroges.

O Savoyards toi qui chéris la France
Pour ta patrie et pour ton foyer !
Ne laissons pas torturer sans défense
Le cher pays, notre chère maison
Nous chasserons les hordes italiennes
Qui lâchement nous frappent dans le dos.
Mussolini périra dans les chaînes
Cet assassin s'écroulera devant notre drapeau

II

De Chambéry, d'Annecy, des montagnes
De nos glaciers au bas de nos vallons
Rassemblons-nous, des monts et des campagnes
Pour repousser les oppresseurs félons
Les Italiens ces lâches mercenaires
Larrons, valets d'Hitler et des nazis
Levons-nous ! Chassons-les tous de nos terres
Et pas un d'eux ne restera dans notre fier pays

III

Chasseur Alpin ! Héros de la Norvège
En France libre aujourd'hui tu combats
Ton sang de pourpre enflamme notre neige
[illegible] d'azur de France tu te bats
Drapeau vivant que tu portas au pôle
Sonnant le cor, comme jadis Roland
Alpin ! Soldat du Général de Gaulle
Savoyard, c'est Jeanne d'Arc qui te guide et nous défend

LE TRISTE SORT DES JUIFS

Dès octobre 1940 et la publication par l'État français des mesures antisémites, des auditeurs s'insurgent contre le sort réservé aux Juifs. À partir de 1941 et surtout 1942, les lettres d'indignation, comme celle de ce correspondant de Toulouse, se multiplient avec l'intensification de la répression.

Suisse, 17 juillet 1942

Chers amis de la France combattante*,

Je profite d'un court voyage en Suisse pour vous donner des nouvelles de notre cher pays. J'habite Toulouse où je suis replié de l'armistice [...].

Il faut maintenant que j'attire votre attention sur la triste situation des Israélites en zone occupée. Vous avez appris qu'ils ne sont plus admis que dans la dernière voiture du métro à Paris, qu'ils n'ont pas le droit de voyager hors de leur département. Ils n'ont plus le droit de fréquenter certaines rues : les Champs-Élysées, etc. Ils ne peuvent plus aller au café, au restaurant, au théâtre, au cinéma, au concert, etc. Mais cela n'est rien. Tous ceux qui se trouvaient dans les camps de Compiègne, de Drancy, etc., sont partis pour une destination inconnue. Je me permets de vous citer le cas de deux cousins. L'un fut arrêté chez lui au mois de décembre, envoyé d'abord à Compiègne, il est parti pour une destination inconnue. Sa femme est sans nouvelles de lui depuis décembre, l'autre, arrêté chez lui également en février, est resté un mois dans une prison parisienne, puis est parti également. Sa femme a été arrêtée un mois et demi après lui, sans savoir pourquoi également ; elle a été incarcérée avec beaucoup d'autres Israélites à la prison des Tourelles, et elle recevait la visite de sa famille, et de sa petite fille de 2 ans, deux fois par semaine. Mais voici trois semaines, elles, et toutes les autres femmes au-dessous de

* La France libre devient « la Fance combattante » le 13 juillet 1942.

54 ans, quittaient la prison, et partaient également pour une destination inconnue. Leur train fut aperçu en gare de Bar-le-Duc. La famille n'a aucune nouvelle, ni du mari, ni de la femme, et la petite fille reste seule. Les Boches répondent uniformément que tous ces malheureux sont à Auschwitz. De tels procédés sont inqualifiables et vous soulèvent le cœur. Il faudra que les Boches paient, et les salauds de Vichy qui laissent tout faire sans la moindre protestation également. Mais excusez-moi de m'emporter ainsi, c'est plus fort que moi.

André Louis

P.S. : Vous m'excuserez de ne signer que de mon prénom, on ne peut jamais savoir si cette lettre vous parviendra, et par quelles mains elle peut passer auparavant. Si vous nommez mon nom à la radio citez comme signe distinctif Wilfrid.

PAS UN LÉGUME, PAS UNE SALADE !

À qui profite la pénurie ? Nouvelle lettre contre le rationnement et les difficultés alimentaires qui fragilisent les plus démunis. Ici, le regard extérieur d'une Française vivant en Suisse, de retour de Lyon...

Bâle, 27 juillet 1942

Monsieur Pierre Bourdan
BBC Londres
Monsieur,
Je suis française mais habite depuis plusieurs années la Suisse, je rentre de Lyon et veux vous donner quelques-unes de mes impressions sur la France que je n'avais pas revue depuis septembre 1940.
Je suis arrivée à Lyon le matin et ce qui m'a frappée dès la sortie de la gare fut « la queue » parfois fort longue, devant

les épiceries. Cette attente dure souvent plusieurs heures et parfois se termine sans que la ménagère ait obtenu la moindre marchandise. En ce moment il n'y a aucun légume, seules des pêches en quantité. Le marché Saint-Antoine qui, avant la guerre, offrait aux Lyonnais une quantité surprenante de fruits et de légumes, ne comportait le 9 juillet qu'une trentaine de marchands de pêches. Pas un légume, pas une salade ! Mais par contre un nombre imposant d'agents de police, car les mères de famille manifestent fréquemment leur indignation.
Les légumes arrivent bien souvent chez le grossiste, mais 85 % sont immédiatement bloqués par les commissions allemandes et le peu qui reste ne paraît pas sur le marché, ni chez l'épicier, le grossiste faisant sa distribution personnelle à ses parents ou amis. Le département du Rhône a des taxations si basses qu'aucun département limitrophe ne veut lui céder de marchandises, ce qui contribue pour une bonne part à l'expansion du marché noir. L'ouvrier, comme le bourgeois, accourt chez le paysan et offre suivant ses moyens des prix dérisoires pour toutes marchandises, mais comme toujours le plus offrant est récompensé, c'est donc la classe aisée qui a une table bien garnie tandis que la famille pauvre voit ses enfants dépérir.
Voici quelques prix qui vous donneront une idée de ce que doit payer celui qui veut manger coûte que coûte :

- Petits pois ou haricots le kilo 20 à 25 francs.
- Carottes le kilo 15 à 20 francs.
- Pommes de terre le kilo 20 francs.
- Beurre le kilo de 200 à 300 francs.
- L'œuf de 15 à 20 francs.

Mais en général, chaque région a un tarif bien établi, auquel tout le monde se conforme :

- Tarif A tarif normal
- Tarif B tarif marché noir

Pour les vêtements et les chaussures tout se passe de même et certain monsieur me disait avoir payé 1700 francs une paire de chaussures tout à fait ordinaire.

Quant aux échanges, ils se font sur une vaste échelle, un paysan échangera un kilo de beurre contre 1 kilo de sucre, une boîte de saccharine, de la vaisselle ou du linge – tel autre 2 douzaines d'œufs et quelques fromages contre un pneu.

On me citait un fabricant de soieries ne livrant de marchandises qu'aux clients lui apportant quelques victuailles. Les tickets se vendent des prix fous. Des tickets pour 1 kilo de pain valent 15 et même jusqu'à 40 francs suivant l'importance de la quantité à céder.

[...] Les rapports entre le citadin et le paysan sont très tendus. Ce dernier étant accusé d'être pour une bonne part la cause de la carence des vivres sur les marchés. Son goût du gain ne connaissant aucune retenue. J'ai su même que certain gros fermier des environs de Lyon laisse sa famille manquer complètement de produits laitiers pour la seule raison qu'à l'étranger il pouvait sans honte demander un prix beaucoup plus élevé. [...]

Ici nous sommes tous d'ardents patriotes, plus exaltés encore parce que nous sommes loin de la Mère Patrie. [...]

Dans l'espoir que, bientôt, nous pourrons revoir notre beau pays libre, recevez, Monsieur, mes bien sincères salutations.

Vive l'Angleterre, que vive notre France.

signature illisible

Dès mars 1940, la France vit à l'heure du rationnement. Les tickets sont distribués dans les mairies. La quantité reçue par personne dépend de l'âge, du sexe et de la profession.

1296

IE7

1

Réponse à vos questions

Mon poste comporte plus de 6 lampes.. Antenne sur le toit

J'habite quartier de l'Opéra dans le sens Bourse-St Geniez.

Je ne peux prendre qu'à partir de 19m.. Sur cette longueur par suite d'un fort bourdonnement, je ne puis pas vous capter.. Pas plus que sur 41 et 49 - 373 - & 1500m

Et cela de 6h.15 à 0h.15

Je n'ai donc à ma disposition que 25 et 31m

Même sur ces longueurs rien à faire pour vous prendre à 6h.15 7h.15 et 8h.15.. A 9h.15 étant donné que 25m donne je puis parfois; je puis mieux à 12.15 et 13.15, mais outre l'obstruction il y a le fading..

A midi & 20h.15 je prends tant bien que mal Radio de Gaulle sur 30m.50.

A 14h.15 sur 25m je prends à peu près l'Amérique vous parle quoique depuis peu de temps ce soit bien brouillé

Le gros défaut de 25m c'est le fading

A 19h.15 soit sur 25 soit sur 31 il y a souvent un tintamarre infernal avec son 4 systèmes de brouillage, il vaut mieux couper.. Parfois sur 31 on entend très convenablement..

La meilleure audition est celle de 21h.15 sur 31m; à 25 il y a toujours le fading et la puissance est très anémique à cette heure là

Il m'est arrivé de vous entendre à cette heure là sur 31m de façon parfaite et sans brouillage.. Je crois que parmi les brouilleurs il y a les complices et les intransigeants; c'est à dire que l'opérateur y est pour quelque chose

Mais on fait de drôles de constatations.. Des fois impossible de comprendre les informations relatives à l'Italie, d'autres fois celles d'Allemagne et inversement on comprend celles d'Allemagne ou celles d'Italie.. Cela doit venir de ce que le brouilleur est un fridolin ou un macaroni

IE7 2

Tous les speakers sont bons, leur voix est claire

Tous les Français de la France combattante sont bons; André Labarthe

2° peut-être avec son escamotage pénible des S.. Dites lui de ma part que cela ne se

Transcription page 186.

« Tous les speakers sont bons, leur voix est claire. Tous les Français de la France combattante sont bons, sauf André Labarthe peut-être avec son escamotage pénible des S - dites-lui de ma part que cela est toléré par les femmes, mais pas par les mâles. »

***261-189**, Marseille, 17 août 1942*

MON POSTE DE RADIO

Sur les antennes de la BBC ou par le biais de tracts largués par la RAF, les Alliés adressent aux Français des questionnaires afin de mieux connaître leur écoute et leur situation réelle. L'un d'entre eux, à la signature énigmatique, leur répond...

Marseille, 17 août 1942

Réponses à vos questions

Mon poste comporte plus de 6 lampes, antenne sur le toit. J'habite quartier de l'Opéra dans le sens Bourse - Saint-Geniez. Je ne peux prendre qu'à partir de 19 m... sur cette longueur par suite d'un fort bourdonnement, je ne puis pas vous capter. Pas plus que sur 41 et 49 - 373 à 1 500 m.

Et cela de 6 h 15 à 0 h 15.

Je n'ai donc à ma disposition que 25 et 31 m.

Même sur ces longueurs rien à faire pour vous prendre à 6 h 15, 7 h 15 et 8 h 15. À 9 h 15 étant donné que 25 m donne, je puis parfois, je puis mieux à 12 h 15 et 13 h 15, mais outre l'obstruction il y a le fading.

À midi et 20 h 15 je prends tant bien que mal « Radio De Gaulle* » sur 30,50 m.

À 14 h 15 sur 25 m je prends à peu près « L'Amérique vous parle », quoique depuis peu de temps se soit bien brouillé.

Le gros défaut de 25 m c'est le fading.

À 19 h 15, soit sur 25, soit sur 31 il y a souvent un tintamarre infernal. Avec 30 m brouillage, il vaut mieux couper. Parfois sur 31 on entend très convenablement.

La meilleure audition est celle de 21 h 15 sur 31 m ; à 21 h, il y a toujours le fading et la puissance est très anémique à cette heure-là. Il m'est arrivé de vous entendre à cette heure-là sur 31 m de façon parfaite et sans brouillage.

*A tout hasard je signe : **261-189.***

* L'émission « Honneur et patrie » du général de Gaulle est diffusée deux fois par jour à 12 h 15 et à 20 h 25. « Voice of America » a débuté ses programmes le 24 février 1942. Elle est relayée en Europe par la BBC.

FOUTEZ-NOUS LA PAIX !

En réponse aux demandes des speakers de la BBC qui réclament des « suggestions » *à leurs auditeurs, une Française envoie cette virulente interpellation* « au chef du gouvernement à Londres ».

SAINT-ETIENNE, 20 AOÛT 1942

Une Française à M. Churchill,
Il n'est pas dans mon intention de vous insulter, mais votre gouvernement a des procédés inqualifiables.
Nous pensons en France, à Fontenoy, à Rouen, à Sainte-Hélène, et, plus près de 1942, à d'autres noms que vous connaissez aussi bien que moi.
Que venez-vous chercher sur nos côtes ? Est-ce la guerre civile que vous voulez... répandre le sang français, un des plus généreux du monde, pour vos financiers ! Pour quoi ? Pour qui ?
Allez, Monsieur Churchill, laissez la place à un autre ou foutez-nous la paix !

Mme Genevrier

L'OPÉRATION JUBILÉE

Il a pris le parti de la France libre dès le début de la guerre et n'hésite pas, fait rarissime, à signer de son vrai nom ! Sa « petite lettre décousue », *ne compte pas moins de trois petites pages recto verso, écrites d'un jet sûr et rapide à l'encre bleue. Elle est parvenue à la BBC le 27 octobre 1942.*

ANNECY, 20 AOÛT 1942

Chers amis,
Au moment où je vous écris, je pense encore aux événements d'hier. Ce coup de main victorieux sur Dieppe*, qui, nous l'espérons tous, n'est qu'un prélude, a insufflé dans nos cœurs un espoir, un grand espoir, et maintenant nous attendons « le grand jour ».

* Le 19 août 1942, les forces alliées tentent de débarquer à Dieppe. L'opération Jubilée a un goût amer pour les Canadiens, qui composent l'essentiel des forces : le quart de leurs troupes engagées y périt.

La radio de Vichy peut affirmer et réaffirmer sur tous les tons que ce fut là une grande défaite pour les Alliés, que grâce à la puissante défense allemande le débarquement fut un désastre… Que de mensonges ! (le speaker mériterait d'être pendu ainsi que toute la belle équipe qui l'entoure).
[…] Où est-elle la France ? Est-ce bien elle, avec ses camps de concentration, ces innocents que l'on fusille chaque jour, ces arrestations, cette police renforcée, cette terreur enfin qui s'abat sur tous les non-collaborateurs. Non, non, ce ne peut être elle, il ne faut pas que cela continue ainsi. Que la France devienne un cachot ! Quelle horreur. […]
À Annecy, il y avait un maire, le général Cartier. Celui-ci ne se montrant pas assez bochophile, on profita de la présence de Môssieu Abetz, venu à l'Impérial Palace, avec sa suite pour se reposer de son « travail ». Au cours d'un déjeuner, on lui suggéra qu'il serait bon de débarquer Cartier. […] Sitôt dit sitôt fait. Coup de téléphone à Laval et Cartier n'est plus maire d'Annecy. La belle époque que voilà ! On l'a remplacé par une municipalité entièrement SOL*. […]
Chers amis j'espère que vous recevrez cette petite lettre un peu décousue, mais j'ai tant de choses à dire que je pense dans mon cœur et que je ne peux exprimer.

Paul Nambride, étudiant à la faculté de droit de Grenoble.

P.S. : Au cas où cette lettre vous parviendrait, pourriez-vous me le faire savoir en disant ceci « avons reçu lettre de l'étudiant Paul à Annecy » au cours de l'émission de 21h15. Je vous demande de taire mon nom de famille : ma mère est fonctionnaire. Merci de tout cœur. Je m'excuse d'adresser cette lettre à l'un de vous sans le connaître.

* À partir du 16 novembre 1940, les maires sont nommés par Vichy, comme le général Cartier. À Annecy, en mai 1942, une personne soupçonnée d'être pro-Alliés est conviée à la mairie, sur papier à en-tête. Il s'agit d'un faux rédigé par les SOL (voir note page 166), avec la signature imitée du maire. Cartier proteste publiquement. Révoqué par Laval, il gagne clandestinement la Suisse et rejoint les services de renseignements alliés.

LES RAFLES

Une catholique adresse à un certain M. A. David de Twickenham, une lettre remise à la BBC le 10 octobre 1942.

27 AOÛT 1942

Mon cher ami,

Toutes sortes de rumeurs circulent aujourd'hui sur des arrestations de membres du PPF, l'avortement d'un coup d'État de Doriot, etc., etc. Sous cette agitation de la lie qui est remontée à la surface et dans laquelle les différentes fractions de collaborationnistes sont prêtes à s'entre-déchirer mutuellement, la vraie France attend son heure. [...] Depuis hier on arrête les Israélites étrangers* ; une amie qui arrive de Nice me dit que c'est effroyable, une véritable chasse à l'homme, certains de ces malheureux ayant quitté leur domicile à l'avance pour chercher asile chez des amis. On arrête hommes, femmes et enfants au-dessus de 17 ans. Les jeunes enfants sont laissés et vous voyez cette abomination ; le père et la mère emmenés, les enfants, même des enfants tout jeunes restent seuls, affolés, hurlant, sanglotant. Hier le chef de la brigade mobile chargé des arrestations pleurait dans le bureau du commissaire de police disant qu'il n'en pouvait plus, qu'il préférait se tuer plutôt que de faire ce métier abominable. Dans mon coin retiré aucun de ces malheureux à qui je puisse porter secours, mais je songe à de bons amis et Israélites étrangers qui doivent être « raflés » et qui sont loin et pour qui je ne puis rien. Voyez-vous, par moments, c'est à mourir de désespoir ! Au moins dites par la radio à tous ces malheureux que nous, les catholiques, nous nous solidarisons avec eux, que nous les libérerons et que nous les vengerons. Que c'est long et dur d'attendre !

R.

* Les rafles de Juifs étrangers débutent en 1941 en zone occupée, s'intensifient en 1942, l'année la plus meurtrière de l'Occupation. Après le Vél' d'hiv, les 16 et 17 juillet 1942, les rafles se poursuivent tout l'été sur l'ensemble du territoire français, zone libre incluse. Pour cette seule année, 45 convois sur un total de 79 ont quitté la France ; 41 951 personnes sont déportées, seules 805 sont encore en vie en 1945.

L'ÉTOILE JAUNE

De retour d'un voyage dans les deux zones, notre ingénieur qui signe Guillaume Tell fait parvenir un nouveau rapport aux services de la France combattante, via Berne.

4 SEPTEMBRE 1942

Mes chers camarades,

Dans les deux zones, la réprobation contre la persécution des Juifs est pour ainsi dire unanime. Seuls ne partagent pas ou affectent de ne pas partager ce sentiment d'humanité ceux qui, pour sauvegarder leur intérêt, sont lavalistes quoi qu'il arrive et qui le resteront tant qu'ils croiront y voir leur avantage.

C'est un spectacle navrant que de voir à Paris ces pauvres gens circuler avec leur étoile jaune cousue sur la poitrine*. Dans les quartiers riches, on en voit relativement peu, ils se tiennent prudemment à l'écart des immeubles de plus en plus nombreux occupés par les services allemands [...]. Mais, à Belleville et à Ménilmontant, les Juifs sont encore très nombreux, de petits artisans pour la plupart. Ils se rassemblent en petits groupes et commentent avec inquiétude les nouvelles de la nuit précédente. Les femmes et surtout les enfants de 6 ou 7 ans, font peine à voir. Inutile de vous dire que l'attitude de la population parisienne à leur égard est parfaite.

Je tiens d'une secrétaire au Commissariat aux questions juives à Paris que rien que dans le département de la Seine, 27 000 entreprises juives sont ou liquidées ou en voie de liquidation par les soins de leurs commissaires gérants. Une fois le fonds vendu, que touche l'ancien propriétaire juif ? Laval offre, outre la déportation, ce remède magnifique de tartuferie : « S'il y a des Juifs nécessiteux, que l'Alliance juive s'occupe de les secourir. »

* Le port de l'étoile est imposé en zone occupée le 7 juin 1942 pour les hommes, les femmes et les enfants de plus de 6 ans. La zone sud échappe à la mesure.

Sur un marché en zone nord, une jeune femme portant l'étoile jaune.

Mais l'Alliance juive n'est pas reconnue, elle est elle-même liquidée en France et il ne reste plus de fonds de secours puisque les Juifs qui la composent sont eux-mêmes affreusement spoliés. On prétend à Paris que, lorsque les enfants juifs ont été parqués comme du bétail au vélodrome d'Hiver, sans lait et sans soins, non seulement la Croix-Rouge française mais même la Croix-Rouge allemande ont été refoulées et empêchées pendant 14 heures de leur porter des aliments et des remèdes.
La chasse aux Juifs a été très active dans l'Isère, du 25 au 30 août. J'ai vu un ingénieur distingué, juif polonais, qui après avoir été arrêté à Valbonnais, près de La Mure, a pu s'échapper et se cache chez un ami à moi, catholique pratiquant, dont je vous ai déjà donné le nom pour ses activités courageuses dans le groupe du journal *Libération*, M. Malterre, 1 rue Hache, Grenoble. Avec l'appui d'un chef de division de la préfecture, Malterre espère obtenir de faux papiers pour le juif en question.
À Paris, la grande affiche jaune en allemand et en français, annonçant que les familles des auteurs d'attentats antiallemands seront fusillés, est lacérée presque partout. [...] La propagande, si bien faite, si intéressante et que je peux lire si abondamment en Suisse, est mal répandue en France où elle serait si indispensable. Je l'ai signalé maintes fois au service approprié. [...] Pierre Burgeot* paraît très allant et connaît des tas de monde. Il va préparer une liste de personnes sûres et agissantes pouvant servir de « boîtes aux lettres », à commencer par lui-même. De Lyon, les tracts sont relativement faciles à acheminer vers Paris, mais il est plus prudent que je ne vous dise pas comment.

Guillaume Tell

* Député du Rhône, Pierre Burgeot vote le 10 juillet 1940 les pleins pouvoirs à Pétain. Parce qu'il prend ses distances vis-à-vis du régime de Vichy, il est démis de ses fonctions au conseil municipal de Lyon et s'engage dans la Résistance lyonnaise.

Le 28 Mai 1942

1035

Messieurs,

Une mère et une sœur dont le fils et frère étant embarqué à bord du sous marin "Héros" récemment coulé devant Diego-Suarez, sont dans la plus profonde anxiété.

S'il vous était possible de faire connaître rapidement, soit par la radio, soit par tout autre moyen, les noms, prénoms, etc. des survivants recueillis par la Royal Navy, vous mettriez fin à l'atroce incertitude dans laquelle le manque de renseignements précis a plongé leurs familles.

Par avance, nous vous remercions vivement de ce que vous pourrez faire dans ce but, et vous assurons de nos sentiments de reconnaissance.

Z. D.

LIBERTÉ PROVISOIRE

Paul H. Geissman, ingénieur d'origine suisse, vit entre Berne et Pamiers, dans l'Ariège. Par le service de presse de l'ambassade d'Angleterre à Berne, il fait passer ses rapports, qui dépeignent une petite ville agricole, où tout manque et où la veulerie et la lâcheté l'emportent sur l'esprit de résistance.

LUCERNE, 4 SEPTEMBRE 1942

Messieurs,

Je me trouvais en France le 9 juillet dernier lorsque, dans votre émission, vous m'accusiez réception de mon premier message sous le patronyme de Gil 9395. J'ai été excessivement heureux d'entendre que les quelques renseignements que je vous avais envoyés vous avaient intéressés. L'obtention de mon visa pour revenir en Suisse ayant exigé plus de temps que je ne le supposais tout d'abord, ce n'est qu'aujourd'hui que je peux reprendre la suite de mes communications. Je suis donc rentré de France avant-hier et c'est donc des nouvelles toutes fraîches que je peux vous donner.

L'atmosphère y est devenue tout à fait irrespirable. Sur dix personnes qu'on y rencontre, cinq au moins appartiennent à la police, que ce soit de la gendarmerie, de la police d'État, du service d'ordre de la Légion, etc. On a tout à fait l'impression de vivre dans un gigantesque camp de concentration où tout n'est que marchandage et trahison. On en arrive même à se méfier de ses meilleurs amis et chacun a vraiment l'impression de se trouver en liberté provisoire.

[...] Dans le département de l'Ariège, le principal souci de ces gens est de se procurer un cochon pour l'engraisser et le manger ensuite. [...] On a dit à ces gens que les Juifs et les communistes étaient la cause de la guerre, et comme ils ne sont ni l'un ni l'autre, ils estiment que la guerre ne les

concerne pas et ils continuent leur petit train de vie comme si tout cela n'existait pas !
Je dois cependant dire que la dernière rafle de Juifs a provoqué un réveil d'un ancien reste d'idéal démocratique de justice et de liberté. J'ai vu moi-même des gens connus pour leur tendance collaboratrice venir en aide à ces malheureux qu'on entassait dans des camions comme du bétail pour les emmener, en attendant mieux sans doute, au camp du Vernet. Même le chef des légionnaires de Pamiers, arrivé probablement à ce poste grâce à son ignorance et à sa platitude, a tenté une démarche à 6 heures du matin à la préfecture de Foix pour essayer de libérer quelques-uns de ces réprouvés. La consternation a, en tout cas, été grande dans ce petit pays et si quelques brebis galeuses se sont réjouies ouvertement de ces déplorables événements, nombreux ont été ceux pour qui ces brutalités ont paru brusquement ouvrir les yeux.
Pamiers venait d'ailleurs d'être le théâtre, depuis quelques semaines, d'autres incidents tout aussi regrettables et portant également le sceau de la Gestapo. Une cinquantaine de personnes y a, en effet, été arrêtée sous le prétexte d'appartenir à une organisation communiste. Les inculpés avaient été amenés au commissariat de police où un passage à tabac odieux et vraiment bestial leur fut appliqué. J'ai également vu moi-même plusieurs de ces malheureux sortir ensemble du commissariat. Plusieurs d'entre eux durent être hospitalisés à l'hôpital avec bras cassés, côtes enfoncées, et autres traces du traitement de l'Ordre nouveau ! [...] Pendant près de trois semaines, les rues de Pamiers étaient sillonnées de gendarmes emmenant ces soi-disant communistes menottes aux mains, on a sans doute voulu donner à la

1367

CLAIRVIVRE, 26-9-42.

CHERS ALLIÉS,

Par les avions de la R.A.F. qui ont passés au-dessus de Clair-vivre, dans la nuit du 24 au 25 septembre, nous avons reçu un tract que nous avons lu avec beaucoup de plaisir. Ce tract d'ailleurs ne sont pas tombés à Clairvivre même, mais dans la campagne.

Clairvivre est un centre d'expulsés alsaciens. Toute la population d'ici ne fait que se demander : « Quand viendront-ils ? » Tout le monde attend patiemment l'arrivée des troupes anglaises en France et espère qu'elles arriveront encore cette année.

En espérant votre arrivée très prochaine, nous croyons en votre victoire tant méritée.

Deux étudiants expulsés alsaciens.

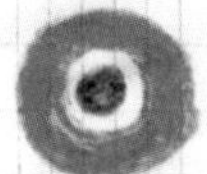

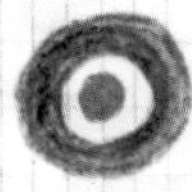

Lettre de deux étudiants alsaciens réfugiés à Clairvivre, en Dordogne, 29 septembre 1942.

population une idée de ce que peut être la force mise au service de l'illégalité. Depuis lors on n'a plus de nouvelles de ceux qui n'ont pas été relâchés et ils sont nombreux. [...]
Je me trouvais également à Pamiers lors du 14 Juillet. Ne tenant aucun compte de votre appel, les Appaméens n'ont pas sorti un seul drapeau. Aucun groupe ne s'est formé à 6 heures du soir sur la place de la République pour entonner *La Marseillaise*, chant fort probablement trop belliqueux pour ces êtres pour lesquels le ventre a beaucoup plus d'importance que le cœur ! De toutes les maisons de Pamiers, une seule disparaissait littéralement sous les drapeaux, c'était celle du maire pourtant alité et atteint d'une angine de poitrine. Si je me permets de vous parler plus en détail de ce maire, c'est que j'estime qu'il a le droit à notre gratitude et notre admiration ; il s'agit de M. Rambaud, ancien sénateur. M. Rambaud faisait partie des 80 parlementaires qui ont voté contre le gouvernement et jamais sa conduite ne s'est écartée de la voie de l'honneur. Pendant sa maladie, la municipalité en profita encore pour faire disparaître le buste de la République de la mairie et le premier soin de M. Rambaud, en y revenant, fut de l'y remettre. [...]
Étant susceptible de rentrer en France, je vous prierais de ne citer ni mon nom ni celui de la ville de Pamiers, et de continuer de vous servir du patronyme de Gil 93.95. Sans doute pourriez-vous en cas de besoin me faire parvenir toute instruction utile par l'ambassade d'Angleterre de Berne où je me propose d'ailleurs d'aller moi-même porter le prochain message que je vous adresserai.

Gil 9395

HÂTEZ-VOUS !

Nouvelle lettre de Liette, fidèle auditrice, usée par l'attente trop longue d'un débarquement et dont la santé se détériore. De sa belle écriture bleue, elle a souligné des mots qui marquent l'urgence de la situation. Un appel à l'aide !

GENÈVE, 9 SEPTEMBRE 1942

Chers amis anglais,
Au cours de l'hiver dernier, j'ai déjà souvent écrit à la BBC. Mais aujourd'hui, je désire que vous ayez cette lettre au plus vite. Au nom de mes compatriotes de Haute-Savoie, et au nom de tous les Français, je vous présente un appel.
Si vous voulez nous délivrer du joug boche, nous vous en supplions faites vite. Débarquez avant qu'il ne soit trop tard. L'état de misère et surtout de souffrance morale est à son comble. Nos nerfs ne tiennent plus. Il faut que vous fassiez quelque chose avant l'hiver.
Depuis mai nous espérons et toujours nous sommes déçus. Si vous tardez encore, lorsque vous viendrez, vous ne trouverez plus d'aide chez nous. Ceci pour deux causes : épuisement physique total ; apathie, indifférence.
Il me semble, il nous semble impossible que vous ne soyez pas encore prêts. Jusqu'à présent, j'étais optimiste, mais je vous assure que je commence à ne plus l'être. Je n'avais jamais été malade avant et nous habitons en zone « libre », une région dite favorisée. Eh bien maintenant j'ai gagné une maladie de cœur et une déficience nerveuse allant jusqu'à provoquer des syncopes. Et je suis loin d'être un cas isolé. Car en ce moment on fait des horreurs contre les malheureux Juifs. Pour cela aussi, il faut vous hâter.
J'espère que vous me comprendrez : cette lettre est un appel.

Liette

STALINGRAD

Ce « groupe de Français et de Françaises » *entretient depuis septembre 1941 une correspondance régulière avec les* « amis de Londres » *: leurs lettres dactylographiées sont quasi mensuelles. En ce mois de septembre 1942, la résistance des Soviétiques à Stalingrad leur laisse, enfin, un peu d'espoir.*

LYON, 22 SEPTEMBRE 1942

À nos amis français et alliés,

Quelle joie de voir les Russes résister aussi vaillamment à Stalingrad*. Cela tient presque du prodige.

Nul doute que le bel Adolf en soit surpris et courroucé. Quoi, un peuple autre que le sien qui se permet d'avoir de l'héroïsme ! Tout en admettant que Stalingrad ne pourra peut-être pas tenir indéfiniment, sa splendide défense tiendra tout de même dans l'Histoire une autre place que la livraison de Paris, et même de la France tout entière.

On peut ne pas aimer les communistes, mais on ne peut moins faire que d'admirer un héroïsme quasi sublime.

[...] Recevez le meilleur souvenir de camarades profondément meurtris mais non asservis.

Un groupe de Français et Françaises

* La bataille pour le contrôle de Stalingrad dure du 17 juillet 1942 au 2 février 1943. Les combats ont coûté la vie à près de 750 000 combattants et 250 000 civils.

ON NE MARCHE PLUS

L'attente est trop longue pour une bonne partie de la population française, épuisée, affamée, démoralisée. Cet auditeur, courroucé, traduit cet état d'esprit et s'emporte vertement contre ceux de Londres qui deviennent, à ses yeux, des planqués et des lâches.

SAINT-ÉTIENNE, 25 SEPTEMBRE 1942

À Messieurs les speakers de la BBC,

Le Français moyen en a marre de vos boniments, des petites ritournelles, des « V », des pan pan pan pan, des petites

chansons et de la discussion des « trois amis* ». La barbe, la barbe, le Français moyen trouve que vous y allez un peu fort. À longueur de soirées vous nous excitez à la révolution mais vous, chaque fois que vous faites votre petit essai, c'est la raclée régulièrement. On comprend bien que si 40 millions de Français entreprenaient la lutte contre les Fritz armés de mitrailleuses, cela vous donnerait une belle chance, pendant que les occupants nous fusillent vous pourriez espérer un débarquement tranquille. Le malheur, c'est que le Français moyen n'a pas du tout envie de se faire casser la figure à votre place.
Si vous voulez flanquer les Boches à la porte, citoyens de la radio, commencez un peu le travail. Évidemment cela est moins confortable que les studios de la BBC, mais mettez-vous à notre place. On en a marre des boniments et comment ? Vous avez, à vous croire, les plus gros avions, les bateaux, les munitions, etc., mais vous n'êtes pas foutus de vous en servir et même si vous en aviez dix fois plus, vous oubliez que ce matériel ne fera pas la guerre tout seul et vous n'avez guère envie du casse-pipe.
[...] Fini mes bons messieurs, le Français il marche plus. Pas de boniments, des actes ou bien alors foutez-nous la paix et n'excitez pas les petits ballots à marcher crânement pour finir sous les balles boches.
Ça c'est du sale boulot, quand on a les foies blancs, on ne pousse pas les copains à faire les sales coups à sa place, qu'est-ce que vous risquez à la BBC, racontez-nous ça un peu pour qu'on vous prenne au sérieux. Alors la ferme et tâchez d'apprendre à faire la guerre. [...]
Mes bons messieurs n'oubliez pas que nous crevons de faim, qu'au moindre geste nous sommes fichés en taule sans

* « Pom pom pom pom » est le mythique symbole sonore devenu l'indicatif de Radio Londres à partir du 28 juin 1941. Lors de la campagne des V (voir note page 92), on remarqua que le V, en morse, se composait de trois brèves et d'une longue, à l'image des premières mesures de la 5e symphonie de Beethoven. L'indicatif est né de cette trouvaille.

Fin de marché à Paris en 1942. Le régime de Vichy ne parvient pas à assurer le minimum vital à la population. Les rations tombent à 2 000 calories par jour et par adulte au lieu des 3 000 nécessaires.

jugement ou presque et que nous sommes dégoûtés de tout. Il y a quarante ans qu'on se fout de nous. Tantôt il faut se battre contre les Fritz, puis contre les Anglais, puis contre les Russes. Pendant ce temps, les gros malins se remplissent les poches, font des discours à la radio, mais les bons couillons font des cadavres. Cela dans tous les pays même chez les Boches, les petits malins sont planqués dans les bons filons et le père Göring ne maigrit pas souvent.
Alors résumons. La barbe avec vos boniments, si vous êtes des mâles, rentrez y dans le bide, si vous êtes des lavettes, faites la paix mais surtout ne croyez pas que c'est nous qui allons remettre ça pour le plaisir de vos applaudissements, ça ne prend plus ! [...]
Après vous Messieurs les Anglais.

n.s.

L'HOMMAGE À MARX DORMOY

Ces trois jeunes filles de 16 ans, qui écoutent trois à quatre fois par jour la BBC, désiraient écrire à Londres depuis longtemps, mais ne savaient comment faire parvenir leur lettre. Enfin, « vos derniers appels nous ont décidé », *racontent-elles, sans plus de précision sur le moyen trouvé. Elles rendent compte de l'esprit de résistance qui règne à Montluçon, ville où Max Dormoy est inhumé.*

Montluçon, 14 octobre 1942

Chers amis de la France combattante,
Le 26 juillet, anniversaire de la mort de Marx Dormoy* a été très bien célébré. Pendant toute la journée, les Montluçonnais défilèrent devant la tombe de Jean Dormoy qui était recouverte de gerbes, les fleurs débordaient jusque dans l'allée. Il y avait une grande photo de son fils. Vers le

* Député socialiste de Montluçon, ancien ministre du Front populaire, farouchement antifasciste, Marx Dormoy fait partie des 80 parlementaires qui ont refusé de voter les pleins pouvoirs à Pétain en juillet 1940. Il est assassiné dans la nuit du 25 au 26 juillet 1941. Des patriotes honorent sa mémoire en fleurissant la tombe de son père, Jean Dormoy, premier socialiste de la ville. Max Dormoy a droit à des funérailles solennelles en 1945.

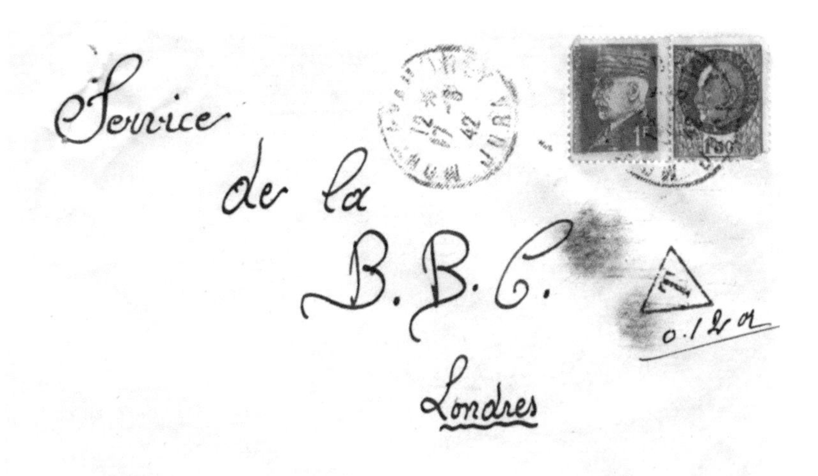
Service
de la
B.B.C.
Londres

Voulons partir pour la cause de notre pays
Donnez nouvelles au plus vite
Attendons avec impatience
Deux de chez eux
Tintin et Trognon

La lettre de « Tintin et Trognon » a été postée dans le Jura le 17 juin 1942. Malgré les deux timbres, l'enveloppe n'a pas été suffisamment affranchie. Aussi le fonctionnaire des postes a-t-il apposé un tampon « T » signifiant que le destinataire doit payer une surtaxe.

milieu de l'après-midi, trois patriotes sont arrivés, l'un d'entre eux s'est écrié : « Dormoy tu seras vengé ! »
Nous faisons tout ce qui est en notre pouvoir pour résister, et nous portons fièrement notre croix de Lorraine.
Dernièrement, le bureau de placement allemand, qui recrute les ouvriers français pour les envoyer en Allemagne, a sauté. La vitrine d'un magasin de la Légion a été défoncée. [...]
S'il est possible dites-nous dans votre « Courrier de France » si vous avez reçu notre lettre.

Trois admiratrices du général de Gaulle

UNE LUEUR D'ESPOIR

Enfin une bonne nouvelle sur le front allié ! La joie fait faire des folies à cette correspondante enjouée qui écrit, pour la première fois, à la BBC (lettre reçue le 2 janvier 1943). Au-delà de sa signature « symbolique et parfumée », *elle fait preuve d'originalité en envoyant son courrier à l'adresse suivante : MM. Big Ben and C°, Blue Bird Cottage, Londres.*

Toulouse, 5 novembre 1942

Bien chers amis de Londres,
Quelle joie chez nous aujourd'hui ! Nous avons appris à l'émission de 12 h 15 la victoire de nos Alliés en Égypte*. J'ai écouté toutes les émissions pour avoir le bonheur d'entendre chaque fois le communiqué du Caire. Je renonce à vous décrire mon émotion : je ris, je pleure à la fois. Je ne ferme pas mes fenêtres pour écouter la radio, il me semble que c'est le commencement de la Victoire qui s'amorce !! Du coup, j'ai mangé un morceau de pain de plus à mon dîner, et j'ai pris du « café » avec deux morceaux de sucre comme avant.
Vous voyez toutes les folies que la joie me fait commettre !
Que sera-ce pour le grand coup ?

* Le 23 octobre 1942, à El-Alamein (Égypte), l'Afrikakorps du général Rommel recule devant l'armée britannique. C'est le premier coup d'arrêt infligé à l'armée allemande.

[...] Vive nos Alliés, un hourra pour tous nos défenseurs d'Afrique.
Vive notre chef vénéré de Gaulle. Vive la France !

Une violette de Toulouse

IVRE DE JOIE

Les bonnes nouvelles font du bien au peuple de France. Le débarquement en Afrique du Nord déclenche un débordement de joie chez nombre d'entre eux, comme pour Nany 1902 (peut-être sa date de naissance...). Sur une carte de visite, de couleur vert d'eau, elle couche à l'encre bleu marine son irrépressible joie.

Lyon, 8 novembre

Chers amis anglais,
Quelle belle journée aujourd'hui. À mon réveil quelle ne fut pas ma satisfaction d'entendre la radio annoncer votre arrivée en Algérie*. Non, vraiment je me sens toute folle de joie, je voudrais crier ma joie, je ne sais plus ce que je fais. Je voudrais pouvoir vous aider. J'espère que Dieu vous protégera jusqu'au bout. Beaucoup de Français sont avec moi. J'ai hâte d'être à demain au bureau pour crier mon ivresse à mes collègues qui sont comme moi.
Que tous mes vœux vous accompagnent, et lorsque vous serez en France, bientôt j'espère, il n'y aura pas assez de fleurs pour vous en jeter.
Je ne peux vous en dire plus long, je suis trop contente, je pleure, je chante, je ris, je suis ivre de joie.
Répondez-moi à la radio, mais criez très fort. Je vous embrasse tous chers amis et vous dis à bientôt. Une bonne Française qui vous aime.

Nany 1902

* 8 novembre 1942, débarquement anglo-américain en Afrique du Nord. Cette opération dite Torch est annoncée à la BBC par « Allô Robert, Franklin arrive ». La prise d'Alger se fait en un jour grâce à la Résistance française. Le 11 novembre, en représailles, les Allemands envahissent la zone sud. Torch marque le tournant de la guerre sur le front occidental, conjointement aux victoires britannique d'El Alamein et soviétique de Stalingrad.

« Quelle surprise en ouvrant mon poste hier au soir. Les Américains à Alger. Avec quelle joie, nous, Français, avons accueilli la nouvelle. Oui je crois que le printemps revient. »

***Une Languedocienne**, lundi 9 novembre.*

Les Américains à Casablanca, au Maroc, novembre 1942.

L’entrée des chars allemands à Marseille, le 12 novembre 1942.

BONAL

L'INCOMPRÉHENSION

La joie suscitée par le débarquement allié en Afrique du Nord est de courte durée pour bon nombre de Français. À l'image des « 22 deux Cocottes », *des auditeurs font part de leur malaise face à la confusion qui règne sur l'autre rive de la Méditerranée. L'incrédulité est à la mesure de l'espoir que l'événement a suscité.*

Marseille, 3 décembre 1942

Chers amis,

Non, nous ne comprenons pas. Un gouvernement qui s'installe en Algérie, au nom du maréchal. Darlan prenant des décisions au nom de Vichy*. Au lieu de souder entre eux les Français, cette décision ne fera que créer un fossé. Que les Américains se servent de l'amiral pour leurs buts de guerre, soit. Mais ce dernier aurait pu prendre ses décisions en son nom et non comme représentant du maréchal. Nous ne pouvons avaler la couleuvre des Américains, même provisoirement.

Il y a un très gros mécontentement parmi les patriotes. Non seulement les Américains ont refusé de reconnaître la France combattante comme gouvernement, mais ils reconnaissent implicitement le gouvernement de Vichy en Algérie. Alors ?

La radio américaine a tendance à croire le maréchal populaire en France. Grossière erreur. Il faut voir les salles de cinéma, aux actualités, à l'arrivée du maréchal ou à la fin de ses appels. Silence glacial. Même pas un applaudissement. Et ceci dans toutes les salles populaires ou des quartiers chics. Il faut voir les actualités sur les voyages du maréchal. Qui applaudit ? Les enfants des écoles, quelques jeunes filles et les légionnaires venus de tout le département et des scouts.

* Les Alliés n'ont pas associé de Gaulle au débarquement. Un affront militaire pour le chef de la France combattante, doublé d'un affront politique quand les Anglo-Américains négocient avec Darlan, l'ancien ministre de Pétain. Comble du désaccord entre de Gaulle et les Alliés, le Général est privé d'antenne. L'assassinat de Darlan le 24 décembre 1942 (voir note page 248) met fin à la crise et la France libre retrouve la BBC le 28 décembre.

Pas un homme adulte dans la foule. Des enfants toujours des enfants à qui on a fait répéter les « Vive Pétain » et « Maréchal nous voilà ».
Le pourcentage de l'opinion française sur le maréchal peut être classé comme suit :
• 60 % d'ennemis acharnés
• 30 % haussent les épaules et le traitent de vieille baderne
• 5 % indécis parce que fonctionnaires
• 5 % en sa faveur (y compris les PPF).
Et ce sont ces renégats, ces traîtres qui, par la voix de Darlan, prennent à nouveau possession de l'Algérie ?
Décidément les Américains ne connaissent pas les Français.
Croyez en ma considération distinguée.

22 deux Cocottes

IMPRESSIONS D'ALGER

Aux voix de l'Hexagone se mêlent celles de l'Empire. Une Française d'Alger, témoin du débarquement anglo-américain, écrit le 18 décembre à la BBC. Sa lettre sera lue dans l'émission de Jacques Borel, « Courrier de France », le vendredi 15 janvier 1943. C'est la seule trace d'elle dont nous disposons aujourd'hui.

ALGER, 18 DÉCEMBRE 1942

Le jour du débarquement des Anglais et des Américains, la surprise a été complète et agréable pour la grande majorité de la population, dans tous les milieux.
Si les manifestations populaires n'ont pas été tout de suite visibles, le seul fait de la foule – immense peut-on dire sans exagération – qui se pressait dans les rues de la ville, alors que la « bataille » durait encore, prouve à quel point le peuple était sans crainte et plein de confiance vis-à-vis des soldats

alliés. À ce propos, il a été particulièrement amusant, pour nous, Algérois, de contrôler la relation que vous avez donnée de ces événements, à votre micro, avec ce que nous avions réellement vu ; tout ce que vous avez dit – jusque dans les moindres détails – a été l'expression de la vérité la plus rigoureuse. Il faut en féliciter vos correspondants anglais : ils ont vu et senti juste.

[...] Il est évident qu'au milieu d'une population aussi mêlée que celle de l'Algérie, la propagande de Vichy avait trouvé un terrain des plus favorables. Mais quel « dégonflage » dès le dimanche matin. Tous les légionnaires marquants et surtout les SOL semblaient s'être volatilisés, et ceux qui étaient trop connus pour pouvoir passer malgré tout inaperçus étaient piteux, ne sachant même plus quelle contenance prendre et leurs craintes d'ailleurs étaient grandes.

Malheureusement par un habile rétablissement, certains de leurs chefs ayant réussi à se faire « agréer » par les Alliés, une propagande sournoise a recommencé à se faire dans l'ombre.

Jusqu'à présent, elle n'a eu pour résultat que d'alerter la vigilance et de raffermir la volonté de tous ceux, et ils sont de plus en plus nombreux, qui veulent aboutir rapidement à une situation claire, condition indispensable à un effort de guerre unanime et sans arrière-pensées. [...]

Les conversations de tous les jours montrent à quel point cette idée gagne du terrain parmi le peuple – le vrai – fermement décidé à aboutir, et sur qui l'on peut compter.

Bien entendu, je continue à suivre avec plus d'intérêt que jamais vos émissions, en vous promettant de vous faire part de mes impressions.

Paule

1388 14 DEC 1942

RÉGION ROANNAISE LE 9-10-1942

1E+1

A L'ECOUTTE DE L'EMISSION DE 13H15

EN ONDES COURTES – 31m

POSTE – 8 – LAMPES – RADIO – ROBIN

RECEPTION TRÈS NETTE.

SOUVENT BROUILLÉE

NOUS CONTINUONS A ECOUTER

MERCI

SIGNÉ

L'ANDOUILLARD

Lettre du 9 octobre 1942 signée « L'Andouillard », de la région roannaise.
La BBC reçoit régulièrement des billets l'informant de la qualité de l'écoute.

118

L

Mes Chers amis de la B B C

Un Français libre de coeur vous envoie avec

toutes ses pensées un projet de " Labarum "
sous le signe duquel la victoire viendra aux
Français libres

T.S.V.P.

Sur une carte de visite, un auditeur a réalisé un projet de labarum (c'est-à-dire un étendard), en forme de croix de Lorraine. Sur les branches horizontales, on lit « In hoc signo vinces » (« Grâce à ce signe tu vaincras »), référence aux paroles de l'empereur Constantin au IVe siècle prononcées avant sa conversion au christianisme. Sur la branche verticale, « Sit hora victoriae » (« Que cette heure soit celle de la victoire »).

S
I
T
I N H O C
O
R
A
S I G N O V I N C E S
I
C
T
O
R
I
A
E

4. L'ATTENTE

Janvier 1943-Juin 1944

Dans une lettre datée du 12 mars 1943, un auditeur prévient : *« On commence à accuser ouvertement les vrais criminels, en tête figure Pétain, le bon papa Pétain qui en bon berger a mené tous ses moutons à l'abattoir.* » L'atmosphère devient irrespirable en France.

« Dépêchez-vous ! », « Hâtez-vous ! » sont désormais les expressions qui reviennent le plus souvent dans les lettres envoyées à Londres. Dans une tension croissante, après les revers allemands sur le terrain de la guerre, le poids de la collaboration s'alourdit de jour en jour. La France entièrement occupée, l'étau se resserre sur les résistants et les contrevenants. Les auditeurs se branchent sur les ondes interdites avec une prudence accrue afin de déjouer les délateurs ou les agents de police. Mais le brouillage a été intensifié, et l'occupant procède encore et toujours à des arrestations et à la saisie de postes, en guise de représailles. En mars 1944, une confiscation massive est organisée dans l'Orne, le Calvados, la Manche, l'Eure, le Nord et la Seine-Inférieure, zones de probable débarquement.

Soucieux de préserver cette arme de guerre et de propagande, les Britanniques tentent d'améliorer le confort d'écoute et lancent, dès 1943, une grande campagne d'alerte et de conseils, à la radio et sous forme de tracts largués par la RAF, sur le thème « Français, veillez à votre poste de radio ».

Avec l'occupation de tout le territoire, la surveillance en matière de contrôle postal est devenue draconienne. Pourtant, en dépit des risques, les auditeurs continuent d'écrire. *« Fidèle aux écoutes 897. Cela fait la cinquième fois que je vous écris, mais nous n'avons pas encore entendu parler de nos lettres, pourtant elles sont arrivées, on en est sûrs* » (lettre du 28 mai 1943). Sont-elles seulement arrivées ? Entre le 11 novembre 1942 et le 25 février 1943, seuls trente-deux auditeurs réussissent à faire passer leurs lettres en Angleterre, la moitié provenant de l'ancienne zone libre. Sur ce total, six furent postées en France, sept passèrent par l'Espagne, le Portugal et l'Afrique du Nord, et dix-sept autres arrivèrent à bon port par des moyens privés. En avril, ce sont encore vingt-huit lettres qui parviennent à Londres, mais le flot s'amenuise pour se tarir complètement en 1944.

Leur témoignage n'en est que plus rare. Toutes traduisent l'urgence de la situation. Après la relève, le STO (service du travail obligatoire) instauré par Vichy le 16 février 1943 affecte toutes les familles et provoque le basculement complet de l'opinion publique. Le sort des réfractaires et des maquisards émeut la France entière. Quant à Pétain, « *un pauvre vieux qui n'y voit plus goutte* » selon un Parisien, en avril 1943, il est le jouet de Laval. Mais l'attente du Débarquement – que les Britanniques présentent toujours comme imminent, « *avant que ne tombent les feuilles* » – et l'horreur des bombardements alliés qui s'intensifient irritent souvent la population. L'opinion est fragile, même si les voix de Londres tentent de mobiliser leurs compatriotes en vue du jour J. Entre incertitude et espoir, détresse et conviction, les Français balancent. Mais ils se tournent toujours vers la radio de Londres.

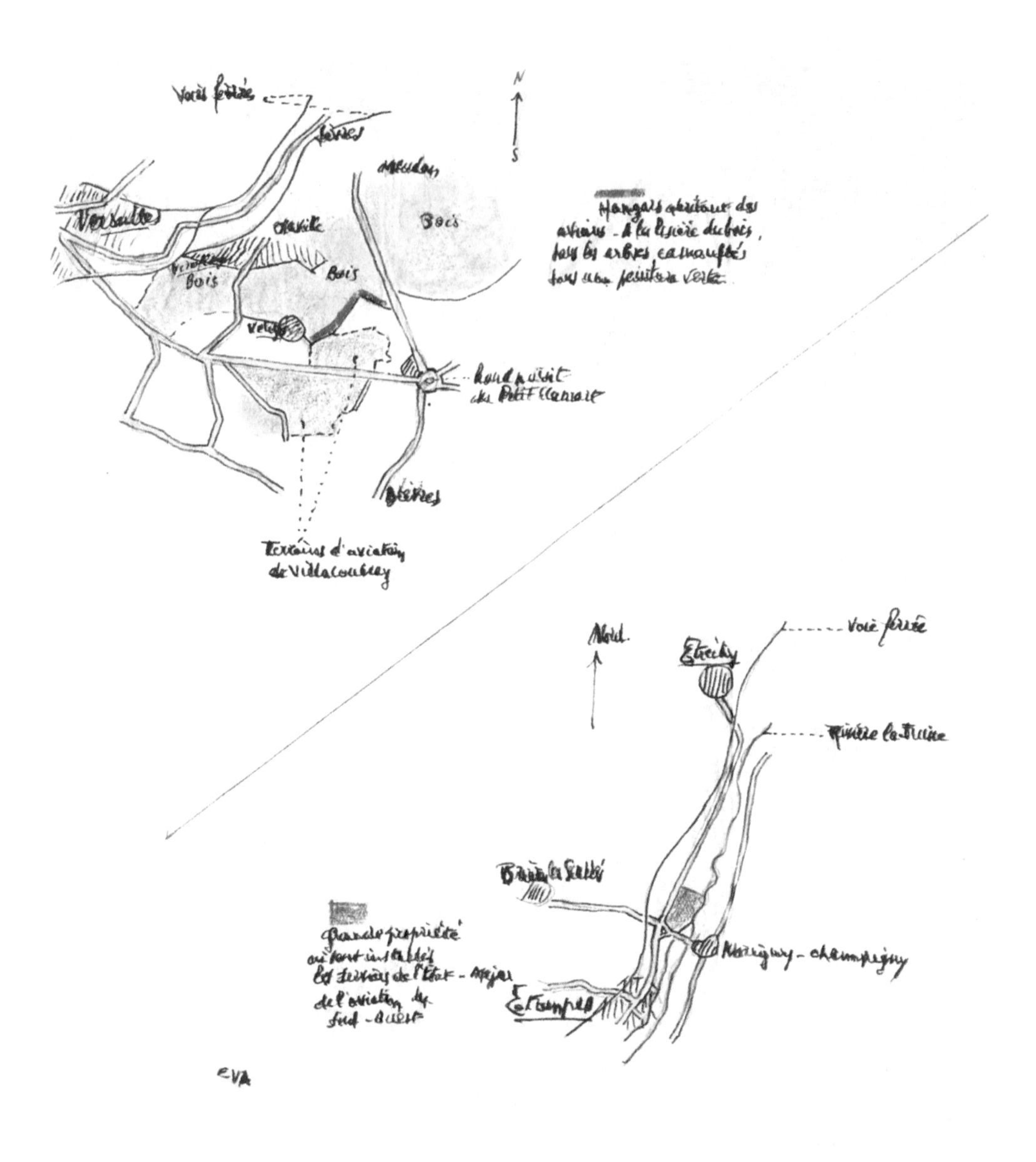

Carte non signée des environs de Versailles. L'auditeur a indiqué les points stratégiques, les voies ferrées, les terrains d'aviation, autant d'indications pour des frappes aériennes.

L'HEURE DE LA VENGEANCE

La roue tourne... Le moral des Allemands est atteint, et certains Français, comme cet hôtelier du Sud-Est qui ne signe pas de son nom, commencent à envisager les actions qu'ils pourront mener le jour venu !

3 JANVIER 1943

Merci infiniment pour les bonnes nouvelles que vous nous donnez chaque jour. Chez moi à l'hôtel nous prenons tous les soirs ce si sympathique poste, quoique les officiers allemands occupent la chambre en dessous. Quelques-uns savent que j'écoute votre émission, aussi me demandent-ils les informations ! Leur moral est bien bas surtout depuis l'avance en Libye [...] et leur défaite en Russie !!! [...] Il se sentent foutus et leur fête de Noël passée à l'hôtel ne fut pas très gaie ! Loin de là. J'en ai trente chez moi. Ils occupent tout un étage : officiers et soldats de la commission d'armistice et officiers de la Kommandatur. Ça m'en fera trente sous la main le jour de notre libération, de notre vengeance. J'en suis heureux ayant passé onze mois au stalag. La vengeance sera douce !

Un hôtelier du Sud-Est

AUX ARMES !

Dualité des sentiments de la part de ces patriotes communistes savoyards, qui font passer leur courrier par la Suisse. La vaillance des Russes force leur admiration, mais l'inertie prudente des Anglo-Américains les inquiète et les agace.

DE QUELQUE PART EN HAUTE-SAVOIE, 3 JANVIER 1943

Chers compatriotes,

Depuis le débarquement en Afrique que nous attendions depuis des mois et depuis que nos amis Russes ont repris l'offensive, notre espoir de la fin prochaine de l'occupation

de toute la France par l'ennemi s'est affermi. Nous vous dirons que le désarmement et la démobilisation de l'armée d'armistice n'ont pas désarmé la France car les groupes de Francs Tireurs, à l'exemple des camarades partisans russes, yougoslaves, se forment, des armes, nous en avons et espérons en prendre à nos ennemis. On entendra parler de nous d'ici peu. Le débarquement anglo-américain a été pour le Français un immmense soulagement. L'occupation du reste du territoire ne nous a ni surpris ni trop affectés. L'éparpillement des troupes italo-allemandes sur tout le territoire ne peut que nous servir à la décimer avec plus de facilité, le jour où enfin à Londres et Washington on aura compris que le moment est venu d'apporter un effort plus grand dans la lutte. Car hélas, nous constatons des choses dans la menée de cette guerre qui nous écœurent franchement. Nous ne pouvons pas ne pas voir une certaine analogie entre ce qui se passait en France durant les mois de septembre 1939 à juin 1940 et ce qui se passe à l'heure actuelle. Les causes produisant les mêmes effets, nous nous demandons si dans ces deux pays anglo-américains il n'y a pas des forces de réactions très actives qui empêchent toute action sérieuse pour arriver à la défaite du fascisme dans le monde.
Au moment où à l'Est nos camarades font des efforts inouïs pour détruire les armées de l'Axe, de la part des Anglo-Américains, ce ne sont que des flots de paroles, des promesses et des chiffres astronomiques sur leur puissance de production. Nous nous demandons à quoi cela peut servir et contre qui on veut les diriger, si au moment le plus propice on ne s'en sert pas ou presque pas. Les raisons du peu d'activités ne sont certes pas toutes d'ordre technique mais bien plus politique.

Ce qui se passe en Afrique du Nord n'est pas sans nous inquiéter*. Nous apprenons qu'arrive en Afrique toute la tourbe réactionnaire française qui avant, durant et après la défaite était fasciste et que tous ces tristes sires ne sont que les valets de Hitler-Laval, sont reçus comme des amis alors que la prudence serait de les mettre en lieu sûr, en attendant que le peuple de France leur fasse le sort qu'ils méritent. Encore une fois de l'action avant qu'il ne soit trop tard.

Les sympathiques salutations des Francs Tireurs savoyards

* À la suite du débarquement en Afrique du Nord, les Alliés font le choix de Darlan, que Pétain considère comme son dauphin, plutôt que celui de De Gaulle, dont ils se méfient. L'administration de Vichy est maintenue en place (voir page 210).

UN CŒUR FRANÇAIS

Sur une feuille à petits carreaux, une jeune fille de 16 ans trace à la plume les mots qu'elle adresse soigneusement à la BBC. La calligraphie est belle, le français presque parfait, hormis quelques fautes ici et là, comme cette façon d'écrire de « Gaule », *avec un seul l... Ce qui peut surprendre en cette année 1943.*

D'une petite ferme du Cher, 23 janvier 1943

C'est honteux de voir les Boches entrer en zone dite libre. Nous avons passé des jours de découragement, mais maintenant l'espoir est revenu depuis que nos alliés anglais et américains ont débarqué en Afrique du Nord. Et le courage de nos marins français qui ont fait saborder notre flotte pour ne pas que ces sales Boches s'en servent*.
On emmène depuis quelque temps des jeunes gens qui partent en Allemagne, pas comme volontaires. S'ils ne partent pas, on fait des représailles sur les familles ou l'on enferme ces pauvres ouvriers dans les camps de concentration. On nous dit la relève, moi je n'y crois pas. Jusqu'ici aucun prisonnier n'est revenu sauf ceux qui sont malades, qui ne peuvent pas travailler au profit de l'Allemagne. [...] Pauvres malheureux qui ont été trahis par

* La flotte française se saborde à Toulon le 27 novembre 1942. Pour l'amirauté qui en donne l'ordre, il s'agit d'éviter qu'elle ne tombe entre les mains des Allemands ou qu'elle se rallie aux Alliés, comme le lui demande Darlan, homme fort de l'Afrique du Nord.

1449

D'une petite Ferme du Cher le 23.1-43.

V. M. Boris

ne pas mentionner la date exacte

B1 War ①

C'est avec joie que je viens vous donner quelques renseignements sur ce qui se passe chez nous c'est honteux de voir les boches entres en zône dite libre. Nous avons passés des jours de découragements mais maintenant l'espoir est revenu depuis que nos Alliés Anglais et Americquains ont débarqués en Afrique du Nord. Et le courage de nos marins Français qui ont fait sabo[illegible] notre [illegible] pour ne pas que ses sâles Boches ne s'en servent pas.

B1 War ②

B1 War ③

On emmène depuis quelques temps les jeunes gens et partent en Allemagne pas comme volontaires s'ils ne partent pas ont fait des représailles sur les familles où l'on renfermes c'est pauvres ouvriers dans les camps de consentrations. On nous dit la relève moi je n'y crois pas jusqu'ici aucun prisonniers n'est revenu sauf ceux qui sont malade qui ne peuvent pas travaillés au profit de l'Allemagne ce qui fait vraiment mal au cœur je trouve ceci horrible pas assez de nos prisonniers qui souffrent là-bas sous la brutalité boches.

B1 War

Pauvres malheureux qui ont été trahit par se

Lettre d'une petite « paysanne de France », âgée de 16 ans, datée du 23 janvier 1943.

traitre de Pétain, et Laval se bandit qui fait tout se qu'il peut pour se cochon d'Hitler.

Il n'y a une seule chose, que j'adore et que je félicite deux Généraux, qui ont du courage que je remerçie sincérement de délivré la France.

Ce sont. Les Généraux. De Gaule et Giraux à qui j'apporte mes félicitations ainsi que pour tous nos Combattants de la France Libre et à tous nos alliés

Vive De Gaule

Vive l'Angleterre

Une petite Paysanne

de 16 ans au Coeur

«16.626.». Français.

B6 (5)

N. Africa

ce traître de Pétain et Laval, ce bandit qui fait tout ce qu'il peut pour ce cochon d'Hitler.
Moi, une seule chose que j'adore et que je félicite, deux généraux qui ont le courage, et que je remercie sincèrement, de délivrer la France.
Ce sont les généraux de Gaule *(sic)* et Giraud à qui j'apporte mes félicitations ainsi qu'à tous nos combattants de la France libre et à tous nos alliés.
Vive de Gaule *(sic)*. Vive l'Angleterre.

Une petite paysanne de 15 ans au cœur français
« 16. 226 »

DE GAULLE CONTRE GIRAUD

C'est un fidèle du général de Gaulle qui prend la plume, un résistant traqué, visiblement, comme bien d'autres de ses compatriotes qui vivent dans l'angoisse d'une arrestation. Dès 1940, il avait fait une demande d'inscription dans l'armée de la France combattante, « ayant donné mon nom et mon adresse, mais je n'ai jamais su si vous aviez pu me rendre ce service », *précise-t-il.*

LYON, 24 JANVIER 1943

Ici, à Lyon, la vie continue calme en apparence, mais la lutte s'amplifie. Les patriotes s'organisent, la police s'agite et traque nombre de braves gens : gaullistes, ouvriers refusant de partir en Allemagne, Juifs étrangers, etc. Vous imaginez ce que peut être la vie de nombre de nos compatriotes qui se cachent chez des amis, qui couchent tantôt chez l'un, tantôt chez l'autre, qui dans la rue sont toujours aux aguets pour éviter à temps les cordons de police, qui tendent l'oreille à chaque coup de sonnette et qui, malgré tout, travaillent en secret, forment des groupes de combat, sabotent des livraisons destinées aux Allemands, se renseignent sur

Le général de Gaulle et le général Giraud avec Roosevelt à la conférence de Casablanca (Maroc), 14 janvier 1943 (voir page 234).

l'armée boche, etc. Je comprends mieux encore la vie actuelle de ces milliers de camarades, depuis que je suis moi-même poursuivi (quoique je devrais en avoir pris l'habitude, car j'en suis déjà à ma troisième perquisition, j'attends la quatrième). [...]

Question Giraud-De Gaulle* ! Ici nous sommes gaullistes, c'est le général de Gaulle qui nous a donné l'espoir en 1940, c'est grâce à lui que nous pouvons encore lutter, c'est le général de Gaulle seul qui sera notre chef. Il se peut que si le général Giraud eût été à la place du général de Gaulle, il eût fait la même chose, mais c'est de Gaulle qui l'a fait et c'est à lui qu'allait cette prière que faisait une femme en pleurant : « Quand le général de Gaulle reviendra en France après la victoire, je me jetterai à genoux et j'embrasserai la trace de ses pas dans la poussière. » Ces mots résument ce que nous pensons.

Un fidèle ami lyonnais

* Après l'assassinat de Darlan à Alger, le 24 décembre 1942, les Américains décident que le général Giraud, évadé d'Allemagne, sera l'homme de la libération de la France. Après plusieurs mois de lutte, de Gaulle s'impose comme chef du gouvernement provisoire de la République française.

LES CONVERTIS DE LA 11E HEURE

Un bon coup de balai, c'est ce que préconisent ces Français de Tanger inquiets de l'évolution du conflit. Il faut faire le ménage pour en finir avec les arrivistes, les ambitieux, avec, écrivent-ils, « tous les chefs et tous les politiciens sans âme et sans honneur dont le pouvoir résulte de renoncements successifs ».

TANGER, 24 JANVIER 1943

Les dangers de la victoire seront aussi grands que ceux de la bataille [...]. La France nouvelle ne doit pas être à la merci des convertis de la 11e heure, il lui faut des hommes nouveaux, des esprits et des cœurs dont le chemin ne fut sans cesse que la ligne droite. Des hommes probes et compétents, énergiques et propres, des hommes aux solides

« Hier je vais voir
mon frère. Sa femme est
malade, le ravitaillement
est difficile, ses affaires
ne marchent pas et il souffre
d'un ulcère à l'estomac.
Mais il m'ouvre la figure
éclairée par un large
sourire : "Mon vieux, dit-il,
que je t'annonce une bonne
nouvelle : Londres vient
d'annoncer que Tripoli
est pris." »

Un Lyonnais, 24 janvier 1943.

Transport du lait durant l'hiver 1942-1943, particulièrement long et rigoureux.

principes, fervents républicains parce que vraiment français. Ces hommes-là doivent pouvoir encore se trouver, sinon il ne resterait plus qu'à désespérer de la France et tout combat serait vain. Nous croyons que la France ne peut mourir et c'est l'honneur de la France combattante de ne pas avoir failli. Qu'elle reste à la pointe du combat et qu'elle ramène la victoire. Nous lui faisons confiance. Vive la France et vive la République.

Un groupe de Français de Tanger

LE « PÈRE LA DÉFAITE »

Biquette est parisienne, heureuse d'écrire une longue lettre aux amis de Londres, mais c'est le mot « misère » *qui revient dans ses propos, misère des conditions de vie au quotidien, misère du chef de l'État et de son image, misère des petits arrangements politiques… En dépit de l'atmosphère délétère qui gagne les esprits, les événements du 8 novembre 1942 relancent l'espoir :* « Il n'y en a plus pour longtemps », *dit-on.*

PARIS, 13 FÉVRIER 1943

Un mot suffit actuellement pour caractériser la vie française : la misère. […] La misère qui s'infiltre, qui s'appesantit lentement, qui est chaque jour imperceptiblement plus lourde que la veille et qui, à la longue, s'accumule et pèse terriblement. Cette misère, ce n'est pas les enfants qui hurlent de faim, ni des gens qui tombent d'inanition au coin de la rue. Non, on a toujours quelque chose à manger, au moins la ration de pain et un plat de carottes ou de choux. Seulement la faiblesse s'insinue, le manque de matière grasse se manifeste par des engelures, mal devenu absolument général, ou bien on a la « galle du pain », ou bien on est essoufflé en montant les escaliers du

La confiance en la personne du maréchal s'effrite, comme en témoigne la devanture de ce magasin de chaussures à Paris, avril 1942.

métro ; on se sent miné et les jeunes n'osent plus faire de sport, parce qu'ils savent qu'ils ne pourront pas récupérer l'énergie dépensée, et ceux qui en font risquent fort de devenir tuberculeux. On n'a plus le cœur de vivre sérieusement, et toutes les pensées se partagent entre le travail et le ravitaillement. La mentalité se ressent de cette misère. Les gens sont rogues, hargneux. […] Pétain est maintenant complètement brûlé et sa principale popularité réside dans les nombreux sobriquets dont on le gratifie tels que : le « père la défaite », le « père suivez-moi », « Pétoche le connétable du déclin », « Philippe-Inégalité », « saint Philippe qu'on roule ». D'ailleurs, Vichy se rend si bien compte de sa défaite qu'il l'a reconnue officiellement en adoptant comme slogan pour le Secours national : « Les Français donnent aux Français. » Peut-on plus clairement rendre hommage à la popularité de votre émission ? […] Voici maintenant les opinions qui courent au sujet de l'Afrique du Nord. D'abord le débarquement a produit une très grande impression ce dimanche 8 novembre, les gens étaient fous de joie. […] Mais après les premiers jours d'enthousiasme, a régné un certain malaise moral du fait du passage de Darlan en Algérie. On ne savait que croire ni que penser, et on craignait les dissensions entre les Français d'Afrique du Nord et les gaullistes. Pour nous, tout ce qui n'est plus sous la coupe allemande est automatiquement classé « libérateur » et les gens redoutent surtout les désaccords basés sur des opinions politiques. Aussi le jour de Noël, c'est avec un véritable soulagement que l'on a appris l'assassinat de Darlan. Ce sentiment a encore augmenté lorsque l'on a vu que Giraud le remplaçait, car les évasions de Giraud aux deux guerres l'ont rendu très sympathique aux Français qui aiment toujours pouvoir faire la nique au plus fort ! Pourtant on redoutait encore que la réunion avec de Gaulle ne se passe pas sans friction. Aussi la réunion à Casablanca* a-t-elle ôté un grand poids de toutes les poitrines. Quant aux opinions respectives des deux généraux, je crois que celles de De Gaulle, plus démocratiques, triompheront, car les Français sont plus républicains qu'ils ne l'ont jamais été et, en tout cas, ils comptent bien choisir eux-mêmes leur futur gouvernement, comme de Gaulle l'a toujours promis.

Biquette

*
La conférence de Casablanca se tient du 14 au 24 janvier 1943 afin de préparer la stratégie d'après-guerre des Alliés. De Gaulle y assiste sur pression de Churchill, et Giraud à la demande de Roosevelt. Le but de la conférence est également de réconcilier les deux Français (voir page 228).

LETTRE À PIERRE FROMUZEAU

Il signe « un illégal », *et apparaît comme un gaulliste de cœur. Aucun autre élément d'information ne filtre sur lui, excepté le fait qu'il connaît bien Pierre Fromuzeau, intervenant régulier de la BBC. Une lettre de connivence, donc, entre deux hommes qui, sur le terrain politique d'après-guerre, pourraient être amenés à se retrouver.*

Paris, 29 février

Pierre Fromuzeau*, pourquoi ce nom ? [...]
Pourquoi ne pas parler sous votre véritable nom, n'êtes-vous pas l'élu d'une Chambre qui portait les espoirs de millions de Français et qui est chaque jour plus regrettée même par ceux-là qui l'ont tant calomniée. [...] Nous écoutons votre voix, quand nous le pouvons, avec émotion, et nous vous envions, nous les traqués, les illégaux, nous pour qui chaque jour qui passe pose l'angoissant problème du lendemain de la nourriture sans carte de ravitaillement, de la liberté si fragile à la merci du flic, du légionnaire, du milicien. Combien de nos malheureux copains, de ces admirables

*
De son vrai nom Max Hymans. En 1941, cet ancien député socialiste entre en contact avec les services secrets britanniques en France, avant de rejoindre Londres. Il intervient à la BBC sous le nom de Fromuzeau, pseudonyme qui vient de « from Muzeau », lieu-dit près de Valençay (Indre), où se trouvait sa maison, un nom reconnaissable par ses électeurs.

1347

— Cie Alsacienne des Arts Photomécaniques. Strasbourg —

NOUS SUIVONS AVEC UN VIF INTÉRÊT TOUT
CE QUE VOUS FAITES OU FAITES FAIRE
AVEZ VOUS RECU CETTE CARTE? REPONDEZ
S.V.P. A... 333333 [illegible] 00000
[illegible] PAR RADIO

Carte postale non datée et non signée envoyée d'Auvergne.

militants déjà frappés en novembre 38*, restés fidèle à l'esprit de liberté et qui maintenant souffrent et se désespèrent à Compiègne et ailleurs.
Nos malheureux camarades arrêtés à l'usine, dans leur jardin, chez eux un soir à la veillée, dans la rue, à la campagne, embarqués dans la sinistre auto noire à croix gammée et maintenant terriblement muets derrière leurs barreaux de fer ou leurs barbelés, viendrez-vous trop tard pour les sauver du peloton d'exécution, et les Alliés sauront-ils surtout, le grand jour, protéger ces camarades que leurs geôliers nazis méditent de décimer à la mitrailleuse plutôt que de les laisser sauver par les armes libératrices ?
[...] Nous sommes quelques-uns qui avons essayé de vous rejoindre là-bas sur cette terre de liberté [...], nous avons chaque fois échoué près du but, nous avons essayé par l'Espagne mais trop tard et nous désespérons de réussir maintenant. [...] Ce qu'il faut à la France lorsque l'Axe aura été vaincu, c'est une IVe République où le jeu de coalitions n'entraîne pas les perpétuels changements de gouvernement si préjudiciables aux intérêts du pays. Vote des femmes – suffrage universel et proportionnel. Suppression du Sénat qui devra être remplacé par une Chambre syndicale nationale qui préparera l'organisation économique et sociale de la nation, Chambre des députés qui promulguera les lois selon les projets préparés par la Chambre syndicale et surtout un gouvernement stable du genre américain. Pierre Fromuzeau, c'est cela que ceux qui vous font confiance vous demandent de défendre, c'est cette République juste et moderne, sociale et laïque qu'ils vous demandent de nous apporter le plus vite possible car le temps presse pour beaucoup d'entre nous.

Un illégal

* En 1938, le gouvernement Daladier remet en cause les acquis sociaux du Front populaire, provoquant d'importantes grèves, sévèrement réprimées.

« Nous sommes en danger…
Les Boches nous poussent
la mitraillette dans
le dos pour nous envoyer
dans les usines du Reich.
Nous pleurons en faisant
cette lettre. Nous sommes
ici deux copains qui
d'ici quinze jours vont partir
pour se faire fusiller
en Allemagne…
Vive Radio Londres. »

XXYZ

LA CRAINTE DU STO

Ces deux lettres, écrites en mars et en avril 1943 par un étudiant de Lyon, ont été lues dans l'émission « Courrier de France » de Jacques Borel. Deux témoignages qui montrent combien l'étau du STO se resserre très rapidement autour de ces jeunes gens traqués. Prêt à prendre le maquis, le jeune homme ne désespère pas en la venue des Alliés, mais « pourvu qu'ils se dépêchent avant que toute la France ne se vide des bras qui pourraient leur prêter main-forte ».

LYON, MARS 1943

1re lettre

Dans notre bonne France, si bonne avant, on a l'impression de faire partie d'un troupeau, et d'être chacun marqué d'une étiquette pour aller à la foire. Et nous ne pouvons rien faire, rien dire, attendre les événements, en essayant de lutter contre le courant. Seulement en attendant de cette façon, où risquons-nous d'être entraînés, nous les jeunes ? J'échappe pour le moment de six mois de service obligatoire*, mais jusqu'à quand ?

2e lettre

Je suis toujours étudiant, je n'ai plus qu'un an à faire, si le service du travail obligatoire me laisse terminer. Mais heureusement, il ne manque pas en France de forêts ou de montagnes accueillantes...
Nous cultivons notre jardin à la campagne, nous élevons différentes bêtes, si bien que jusqu'à maintenant nous n'avons pas à nous plaindre du côté du ravitaillement. Mais si nous n'avions que la ration des cartes d'alimentation, il y a longtemps qu'on serait exposé en squelettes au musée. Il y a beaucoup de gens qui sont méconnaissables maintenant.

Un étudiant

* Après l'échec de la relève (voir note page 172), l'occupant impose le service du travail obligatoire (STO), soit la réquisition et le transfert des travailleurs vers l'Allemagne. Entre 600 000 et 650 000 personnes ont dû partir. Pour échapper au STO, de nombreux jeunes rejoignent les maquis et la Résistance.

1417

Chers Anglais

Je vous envoie cette lettre pour vous donner les renseignements suivants: J'ai un poste a 5 lampes (6A8 - 6K7 - 6Q7 - 6V6 - 5Y3). Je vous prends ~~il~~ tous les jours a 5H1/2 et a 1h1/2 ~~à parfois~~ sur 31m ou sur 40m. parfois je vous reçois avec un brouillage intense courant toute votre emission. si vous pouviez arriver a vaincre le brouillage des boches et a emettre a coté de ce brouillage je serait très content

bientot voir au verso →

à bas Laval ~~le~~ ~~sermteur~~ des boches vive les alliés et vive de Gaulle débarquer le plus tôt possible ... car nous sommes en danger... Les boches nous poussent la mitraillette dans le dos pour nous envoyer ~~en~~ dans les usines du Reich nous [illegible] en faisant cette ~~cette~~

Nous sommes ici 2 copains ~~prêts à~~ qui d'ici 15 jours vont partir pour se faire fusiller en allemagne...

Nous attendons votre réponse le 23 octobre à votre émetteur de Londres sur 31 mètres à 3 h 1/5 de l'après midi

région du Centre

Nous vous attendons le 25 octobre à 15 h 15

Vive Radio Londres
XXYZ

L'écriture est malhabile, l'orthographe incertaine, la lettre écrite dans l'urgence. Un jeune homme, qui signe « XXYZ », est angoissé à l'idée d'un départ en Allemagne.

NOUS SOMMES PRÊTS

La lettre est courte, porteuse d'une seule requête : la délivrance, tant espérée, tant attendue ! On peut imaginer avec quelle intensité cette attente est vécue, en cette région d'Arras, située en zone nord interdite.

Région d'Arras, mars 1943

Chers amis,
Enfin il m'est possible de vous faire ce petit mot pour vous exprimer notre reconnaissance. Grâce à vous, messieurs les speakers, notre moral a toujours été excellent et nous vous attendons ferme et tous sommes prêts à vous donner un sérieux coup de main. Les paysans et les mineurs sont prêts, femmes et hommes, mais nos jeunes gens partent chaque jour. Les champs d'aviation de la région de Frévent, jamais occupés par les Allemands, sont à présent hérissés de blocs de ciment de ferraille, traversés de tranchées, mais il y a de la place à côté pour le débarquement des Alliés.
Soyez persuadés du dévouement de chacun de nous et venez bien vite nous délivrer ainsi que nos chers prisonniers.

Une de La Péteucroix

TROIS ANS D'ATTENTE

Elle signe Anne de Lusignan, la fille de Janus, roi de Chypre, épouse du duc Louis Ier de Savoie vers 1433 et figure historique de cette région de France. Elle écrit une lettre de quatre pages, à l'écriture gracieuse faite de pleins et de déliés.

12 mars 1943

Chers amis de Londres,
La Savoie résiste âprement à l'ennemi : les paysans se font tirer l'oreille pour livrer à la réquisition, malgré les menaces, les objurgations et les mesures de faveur. J'en connais plus

d'un qui préférera laisser pourrir sa récolte dans quelques silos plutôt que de la livrer aux Boches.
[...] À Chambéry, le 11 mars, sur un convoi prévu pour 780 départs, 220 seulement étaient présents. Inutile de vous dire qu'il ne faisait pas bon circuler sans papiers d'identité, ce jour-là, dans les rues de la ville. De tous les côtés, la résistance la plus farouche s'organise : c'est un requis errant d'une maison amie à l'autre pour ne pas rentrer chez lui où les gendarmes pourraient lui remettre sa feuille de départ, c'est une famille de paysans qui offre gracieusement le gîte et la nourriture à un pauvre ouvrier traqué, c'est encore un chef de gendarmerie qui refuse de voir les jeunes gens dissimulés dans le village. Comme il est bon de sentir qu'il existe encore de vrais Français de France avec leur hospitalité si cordiale, leur bonne humeur même sous la menace du danger. [...]
Français de Londres, je voudrais vous demander de supplier nos amis les Anglais de se hâter : beaucoup de gens qui jusque-là ont gardé une foi inébranlable commencent à désespérer.
[...] Depuis bientôt trois ans, nous attendons, nous attendons avec la faim et avec un spectre sans cesse grandissant de la misère : nos enfants n'ont point de chaussures, presque pas de vêtements à se mettre, ils vont en classe avec souvent une maigre bouillie d'herbes en guise de déjeuner ; nos bébés manquent de lait, de sucre, de vitamines et de bouillie. Quant aux jeunes ou aux futures mamans, il suffit de voir leurs yeux cernés et leurs mines défaites pour deviner qu'elles sont loin de contenter leur appétit. Les hôpitaux refusent des malades ; dans les écoles, d'une visite médicale à l'autre, les docteurs enregistrent non une augmentation, mais une diminution de poids ; le travail intellectuel des enfants devient presque nul : ils ne sont capables d'aucune attention et jamais malgré

C'est d'un hameau comme celui-ci qu'écrit Anne de Lusignan en mars 1943.
Isolés, reculés, ces villages servent de lieux de refuge et de ravitaillement.

« Du petit village où
je vous écris, petit village
de Savoie perdu dans la neige
et les sapins, je voudrais
vous dire combien elles sont
courageuses ces mères
de famille qui accomplissent
des prodiges d'endurance
pour atteindre les villages
les plus haut perchés
d'où elles rapportent
un peu de beurre, de fèves
et de pommes de terre. »

Anne de Lusignan, 12 mars 1943.

la circulation restreinte on a pu enregistré autant d'accidents dus à l'inattention ; inutile de vous dire que les tuberculeux augmentent dans des proportions effrayantes et que, à la naissance, des bébés sont bien au-dessous de leur poids normal ; dans une maternité de Grenoble les statistiques accusaient une moyenne de 2,200 kg. Quant aux pharmacies, vous savez qu'elles manquent des produits les plus élémentaires : la teinture d'iode, l'huile de ricin ou le coton hydrophile entre autres sont presque introuvables.
Une maman ayant à soigner son bébé de quatre mois d'une angine fut obligée de se servir du coton hydrophile national, en l'occurrence du papier-filtre. Chers amis, ce sont des pages et des pages de misère que j'aurais à vous conter.
Ne croyez-vous pas qu'il est temps que tout cela finisse : le peuple a faim, le peuple est exténué, il cherche ses responsables, il veut les punir, il ne veut pas mourir avant de leur avoir fait sentir toute sa haine et sa vengeance.

Anne de Lusignan

LE RÊVE D'UNE AUTRE FRANCE

Depuis la fin de l'année 1942, des lettres envoyées par des Français d'Afrique du Nord parviennent plus nombreuses au bureau du courrier des auditeurs de Londres. Cette fois, il s'agit d'un ingénieur du Corps des Mines, résidant à Casablanca, qui se fait le porte-voix de ceux qui veulent en finir avec le régime politique d'avant-guerre.

Casablanca, 4 avril 1943

Nous avons été tellement sursaturés de la politique et des politiciens que nous ne tenons pas à en entendre parler et encore moins à entendre la voix de ceux qui faisaient partie d'un régime que nous voudrions améliorer.

Pour faire des Français, il faut préconiser un régime juste et moral : instaurer le vote familial, et la responsabilité dans le corps et dans les biens des membres du gouvernement et des fonctionnaires, l'intégrité des députés. Il faut qu'en France libérée chacun puisse travailler et vivre décemment, élever sa famille sans angoisse. Je m'étonne fort que vous ne compreniez pas que l'écoute de *L'Internationale* ne fasse pas plaisir aux Français, aux patriotes qui ne désirent pas envoyer « leurs belles à leurs propres généraux ». Vous avouerez que ce n'est pas le moment, s'il n'y en a jamais eu un. La crainte du communisme révolutionnaire et sanglant retient beaucoup de Français.

Un ingénieur au Corps des Mines

DÉSESPOIR

Cette lettre est une réponse à la demande faite par les speakers de la BBC de renseignements sur l'état de l'opinion publique en France. Le désespoir et la lassitude l'emportent sur tous les autres sentiments. L'attente est décidément devenue trop lourde pour nombre de Français, désormais submergés par le doute sur les véritables intentions des Alliés.

5 AVRIL 1943

Depuis plus de deux ans, vous nous annoncez un débarquement des troupes alliées sur le continent européen et depuis un an vous nous faites espérer ce débarquement comme imminent*. Les patriotes français ont eu jusqu'ici une confiance aveugle en vous et ils se sont préparés fébrilement pour ce jour tant attendu. Ils ont écouté et suivi passionnément tous vos mots d'ordre. Mais aujourd'hui, je dois vous avouer franchement que nous commençons à désespérer.

*
À partir de mars 1942, les Britanniques décident de lancer, via la BBC, des messages laissant présager l'imminence d'un débarquement. Ces promesses non tenues ont pour effet d'infléchir le moral des auditeurs. Les propagandes allemande et vichyste jouent de cette ambiguïté.

Aujourd'hui encore votre action peut être efficace. Demain, il sera trop tard. Tous les jours les meilleurs d'entre nous sont déportés en Allemagne, avec peu d'espoir de retour. Bientôt tous les hommes de France seront déportés à leur tour ; bientôt il ne restera plus que des enfants, des femmes, des invalides, et encore en restera-t-il beaucoup ?
Vous nous dites de vous aider lorsque vous viendrez. Nous ne le pourrons plus et ce n'est pas ce que nous vous demandons. Nous vous demandons au contraire, à vous, de nous aider. Ce n'est pas à l'heure actuelle l'action de quelques patriotes isolés qui peut être efficace. La suppression de quelques dizaines de Boches n'affaiblit guère l'hitlérisme mais elle cause la mort de milliers de Français. C'est l'insurrection générale, aidée par un débarquement, qui seule peut être efficace. Et nous sommes actuellement au moment le plus favorable.
Dans votre intérêt comme dans le nôtre, c'est maintenant l'heure de l'attaque.
[...] Hâtez-vous, mais n'entretenez pas chez nous un rêve chimérique car le réveil serait d'autant plus terrible.

RSTZ

P.S. : Par ailleurs, « l'annexe de Vichy » en Algérie nous laisse pour le moins décontenancés. Devons-nous nous battre pour rétablir l'autorité de Vichy ? Cela jamais. Quelle honte de voir les ex-collaborateurs, ceux qui ont encore du sang des patriotes français sur les mains, à la tête d'un gouvernement dit de dissidence, et quelle rage est la nôtre. Devrons-nous nous attendre à subir plus tard le sort du martyr, justicier de Darlan* ? C'est au contraire les mauvais Français qu'il faut châtier dès maintenant, et non s'attaquer aux Boches isolément. Ce serait une leçon salutaire pour beaucoup.

* L'amiral Darlan a été assassiné par un étudiant, Fernand Bonnier de La Chapelle. Arrêté, jugé de manière expéditive, il est condamné à mort et exécuté.

« Hâtez-vous, hâtez-vous,
nous ne tenons plus.
Venez au plus vite sinon
vous risquez de débarquer
dans un pays où il n'y aura
plus que des fous, des morts,
des agonisants. »

n. s.

« Paris est une drôle
de ville. C'est une tombe.
On est coupé de l'univers.
On ne sait rien. Pourtant
j'en arrive à penser que
si le cœur du monde bat
là où l'on se bat, Paris est
devenu l'œil du monde.
C'est ainsi que je me
console de m'y trouver. »

n. s.

À Paris, malgré le calme qui semble se dégager de cette photographie, la présence allemande est de plus en plus lourde. Aux actions de la Résistance répond la violence de la répression.

« KAPUT ! »

Les défaites successives survenues sur le front de l'Est, comme à Stalingrad le 2 février 1943, avec la capitulation de la IVe armée blindée allemande et de la VIe armée de Friedrich von Paulus, ont un effet visible sur le moral des troupes d'occupation en France. Les Français assistent alors à des scènes surprenantes dans leur vie quotidienne.

Les Allemands eux-mêmes n'ont plus la même attitude qu'en 1940. Il leur arrive de se laisser insulter dans la rue ou dans le métro sans répondre, et parfois même en pleurant.
En vous disant cela, je pense à un incident auquel j'ai assisté moi-même dans le métro. Il y avait dans le wagon deux Allemands « en vert » et un officier de marine. Monte un grand mutilé, portant de nombreuses décorations de l'autre guerre. Quand il vit les Allemands, il les interpella et leur tint à peu près ce discours : « Vous les Boches, kaput ! Vos femmes, vos enfants, vous kaput. Vous n'avez pas fait la guerre de 14, vous ne savez pas ce que c'était. Mais maintenant vous allez le savoir, et il ne restera pas un de vous. Vous kaput. » Puis il leur parla en allemand et les trois Boches ne bronchaient pas et l'officier de marine allemand, impassible, hochait doucement la tête tandis que deux larmes coulaient le long de ses joues. Les Français autour intérieurement ravis, mais un peu inquiets se demandaient comment cela allait finir. Les Allemands descendirent sans un mot.

n. s.

LES CLANDESTINS

Cette lettre signée « Sextius, alias Laramie » *dresse un état des lieux complet de la situation en France, en ce mois d'avril 1943. Les prix et l'économie, les bombardements, l'opinion publique, l'attitude de certaines catégories de la population française, comme les policiers, les paysans, les ouvriers, les fonctionnaires et les professions libérales, et enfin l'envoi de la main-d'œuvre en Allemagne sont passés au crible. Une mine de renseignements pour les* « amis de Londres ».

Paris, avril 1943

Il faut avoir le cœur bien endurci pour aller se promener à la gare de l'Est en ce moment. M. Laval estimait les départs pour le 1er trimestre à plus de 250 000 hommes, dont 77 000 jeunes gens des classes mobilisées. […] Il manquerait 17 000 jeunes rien qu'au recensement des régions ouest du département de la Seine. Le pourcentage des défections, dans les départements alpins, est estimé couramment à 50-55 %. […] Dans la zone d'occupation italienne, la gendarmerie française opère toujours seule, ce qui n'est pas le cas ailleurs, notamment dans les grandes villes. Elle se contente de procéder jusqu'ici à des constats d'absence. Dans les grands centres urbains du reste de la France, elle est appelée à bloquer des quartiers entiers avec l'aide de la gendarmerie allemande et de la garde mobile assez loyaliste à Vichy, dans son ensemble. Tous les hommes trouvés dans les maisons du quartier bloqué sont interrogés, fouillés, doivent présenter leurs papiers, et s'ils n'ont pas tous leurs papiers en règle, sont embarqués séance tenante vers l'Allemagne. Ces pratiques ont été très fructueuses, notamment à Marseille, Villeurbanne, Limoges…
La fouille est assez minutieuse. On regarde jusque dans les cheminées, on surveille les balcons, les toits… Peu d'hommes peuvent passer au travers. Des rafles sont

également opérées dans les rues, les cinémas, les cafés, les gares. [...] La gendarmerie et la nouvelle milice noire de Vichy* surveillent en outre les gares de campagne, interpellant les hommes et jeunes hommes qui prennet le train, pour dépister les clandestins en changement de résidence. [...]
Il est à craindre que traqués, affamés, de plus en plus nombreux les « clandestins » devront finir par se rendre, surtout les plus pauvres. [...] Combien le feront ? Une telle résistance peut-elle se prolonger indéfiniment ?

Sextius, alias Laramie

* Créée en janvier 1943, la Milice de Darnand s'illustre dans la lutte contre les maquis, dans les persécutions contre les Juifs. Supplétive de la Gestapo, elle n'eut jamais plus de 35 000 adhérents, dont seulement 10 000 furent actifs (voir note page 166).

LES RÉQUISITIONS

Cette lettre, signée « un homme », *est lue dans l'émission « Courrier de France » du vendredi 20 mai, dont le thème est le marché noir.*

Avril 1943

La réquisition imminente des poules et des lapins, après celle du bétail, du beurre, des œufs et des récoltes, va entraîner une nouvelle vague de mécontentement.
Les paysans savent tous que les réquisitions ne profitent guère aux habitants des grandes villes. Le ramassage du beurre fermier par les « frigorifiques de l'État » organisé par Max Bonnafous* a permis à l'Allemagne d'augmenter ses prélèvement dans la proportion suivante : jusqu'en octobre 450 tonnes par mois environ, en décembre, 910, en janvier 1380 tonnes. Chiffres de février et mars voisins de janvier.
La ration de matières grasses (beurre, margarine, huile) plafonnait pendant ce temps-là à moins de 10 grammes par jour et par tête.

Un homme

* Après le retour de Laval au pouvoir en 1942, Max Bonnafous, ancien socialiste du Front populaire, rallié à Vichy, devient secrétaire d'État puis ministre de l'Agriculture et du Ravitaillement.

Réquisitions dans une ferme du centre de la France.

Des maquisards aux environs de Grenoble. La menace du STO contribue à nourrir les maquis, composés à 90 % d'hommes jeunes et célibataires.

UN PATRIOTISME ÉTROIT

Cette auditrice écrit de Suisse. Gaulliste de la première heure, les prises de position récentes du Général ont refroidi ses ardeurs et la poussent à penser que, comme Pétain, il souffre de « nationalisme étroit ».

20 MAI 1943

J'ai une grande admiration pour le général de Gaulle. Je lui ai voué une reconnaissance éternelle pour avoir incarné la résistance française lors du honteux armistice de 1940. [...] Je le considérais comme mon chef. Mais cela ne m'est plus possible après le discours que j'ai entendu de lui hier soir, 27 mai*, à la radio anglaise. La déception a été d'autant plus amère que la confiance que j'avais mise en lui était plus grande. En premier lieu, j'ai trouvé son attitude vis-à-vis de nos alliés anglais tout à fait déplacée et inconvenante. Elle m'a paru empreinte d'une noire ingratitude. La petite phrase désinvolte où il déclare que nous avons, nous Français, résisté « presque seuls » à l'invasion allemande pourrait émaner de Vichy.

* Le général de Gaulle prononce le 27 mai un discours à la BBC sur « l'unité de l'Empire » et « l'union pour la grandeur de la France ». Il prône la libération par les forces françaises et la régénération du pays.

[...] Mais ce reproche que j'adresse au discours du général de Gaulle n'est pas le seul, ni le plus grave. Ce qui m'a douloureusement déçue dans ses paroles, c'est qu'elles sont empreintes de ce nationalisme étroit et borné qui caractérise l'attitude du maréchal Pétain et qui me semble un symptôme si alarmant de l'état d'esprit d'un grand nombre de Français. Rien de la largeur de vue, de l'idéalisme généreux d'un Roosevelt ou d'un Churchill : aucune vision de ce que pourrait être le monde régénéré, une véritable Société des Nations s'élevant sur les ruines de l'ancienne et réussissant à accomplir le programme magnifique qui a lamentablement échoué une première fois, par suite

d'erreurs flagrantes, mais qui devra un jour devenir une glorieuse réalité. Il me semble vraiment, à entendre le maréchal Pétain et le général de Gaulle, que la France est le centre du monde, le seul objet digne de leur intérêt ! Aucune allusion aux autres peuples opprimés, à la Pologne martyre, à la Tchécoslovaquie, à la Norvège, aux petits pays qui, comme la Hollande, la Belgique, la Grèce, ont opposé une résistance héroïque à l'envahisseur, donnant ainsi au monde un exemple qui est de nature à nous rendre modestes, nous Français... Si je me suis sentie poussée à vous écrire tout cela, c'est par besoin de justice tout d'abord, et aussi pour que vous ne croyiez pas que cette étroitesse de vue, ce patriotisme borné sont le fait de tous les Français.
Si c'était le cas, j'avoue que je serais tentée de désespérer de mon pays ; mais je sais pertinemment qu'il n'en est rien ; je connais personnellement en France nombre d'âmes généreuses, d'esprits ouverts et éclairés qui savent s'élever au-dessus d'un patriotisme étroit, jusqu'à un idéal de justice et de fraternité vers lequel s'orienteraient tous les peuples de la terre. C'est un des symptômes encourageants, dans les temps tragiques que nous vivons, de voir tant d'hommes et de femmes dans tous les pays (mais surtout en Angleterre et en Amérique) travailler à faire de cette utopie une réalité concrète.
Vous pouvez, si vous le jugez bon, montrer cette lettre au général de Gaulle. [...] Croyez, Monsieur, à la grande sympathie que j'éprouve pour votre noble pays et à mon désir ardent de voir le mien mener à côté de lui le bon combat pour la libération des opprimés, pour l'établissement d'une paix fondée sur la justice et sur le droit.

n. s.

GLOIRE AUX ALLIÉS

1144

A NOTRE CHER
GÉNÉRAL DE GAULLE.

DES ÉLÈVES
D'UNE ÉCOLE PRIMAIRE SUPÉRIEURE
QUI VOUS SONT DÉVOUÉES. et ont
CONFIANCE A LA VICTOIRE.
ET VOUS AIMENT

Ces petits mots jetés dans la boîte aux lettres comme une bouteille à la mer arrivent en grande quantité à la BBC. Ils traduisent l'intensité des liens qui unissent les voix de Londres avec la population, dans toute sa diversité.

823

Creuzier le vieux le 29 Septembre

Cheres Amie

écouton vos émmissions

avec plaisir vous

voudriez bien me répondre
par la radio
si vous avez reçu ma

lettre signé

l'oiseau bleu

Via

Vive L'Angleterre

LES COMMERÇANTS

Les profiteurs ont su se saisir de la guerre pour remplir leur bourse, faire « commerce »... sans trop regarder autour d'eux. C'est cette avidité qu'un groupe de Français dénonce avec violence et exaspération, avec, en prime, les noms de ces commerçants livrés à Londres.

FRANCE, 21 MAI 1943

C'est d'un petit coin perdu du Pays basque que nous vous écrivons. Nous sommes ici envahis par les Boches qui nous prennent tout. Dans la campagne, les paysans aiment mieux vendre leurs œufs, leurs volailles aux douaniers allemands. S'ils nous en cèdent, c'est avec mille jérémiades et à des prix fantastiques. Parlons donc des commerçants ! N'est-ce pas madame E., qui vendez du chocolat à 400 francs le kilo à ces Boches alors que vous ne voulez même pas honorer les tickets français ! L'autre jour, une vieille dame ayant été lui demander un peu de chocolat pour son fils prisonnier, cette mauvaise Française lui en a refusé, et sous son nez en empilait pour les « haricots verts ». C'est tous les jours que les commerçants nous refusent de la marchandise ! Pas de tickets, pas de marchandises ! Pourquoi les Boches sont-ils servis ? Ont-ils des tickets ? Non ! Et ce n'est que sourires et grâces pour eux. Quant aux civils n'en parlons pas ! Pour de l'argent on leur ferait faire n'importe quelles besognes les plus basses. N'est-ce pas madame Ch. ! Vous vous vantiez assez d'acheter une maison avec l'argent que vous gagnez en dénonçant et racontant les moindres détails de ce qui se passe chez les habitants.

Et vous, monsieur B., qui pour faire passer les fugitifs demandez une forte somme et les abondonnez sur le bord de la route bien avant la frontière.

Un groupe d'auditeurs fervents de Londres

« La BBC devrait mieux s’occuper de faire le second front, afin d’aider efficacement le peuple russe, de délivrer la France et de terminer la guerre au lieu de nous casser les oreilles avec ses histoires glorifiant les Juifs. »

***Un marchand de TSF**, 22 mai 1943, Alger*

DES FEMMES DE « MAUVAISE VIE »

Cet homme révolté contre certaines femmes, celles qui pratiquent la « collaboration horizontale », *s'exprime avec une extrême violence. À plusieurs reprises, il a tenté d'envoyer des lettres à Londres, mais sans succès apparent, n'ayant jamais entendu son nom d'emprunt cité à l'antenne. Il use cette fois-ci d'*« un chemin sûr et rapide ».

Août 1943

Chers compatriotes et amis,

La résistance à l'ennemi ne cesse de s'intensifier surtout depuis le débarquement des Alliés en Sicile et la lâche capitulation de Mussolini* qui n'a même pas eu le courage d'attendre une action alliée sur la péninsule italienne. On sent chez tous les Français un désir ardent de lutte et on ne peut mieux les comparer aux troupes de Napoléon trépignant d'impatience avant la bataille. [...]

Malheureusement à côté de cet état d'esprit bienfaisant il en existe un autre déplorable. Il s'agit de certaines femmes ! Vous allez peut-être rire et vous préparer à répondre : « Mais les femmes n'ont pas une bien grande importance. Leurs actes sont quasi inoffensifs. » Vous auriez doublement tort si vous répondiez ainsi. Il y a des femmes de France, nombreuses même, qui agissent en grandes patriotes.

J'ai vu des jeunes filles risquer un peu tout pour cacher des ouvriers et les aider à franchir les Pyrénées. Elles méritent un aussi grand honneur que les hommes si ce n'est plus. Mais il y a aussi, et par malheur, beaucoup de femmes dont les maris sont prisonniers, des jeunes filles qui avec ou sans prétexte ne se gênent pas pour s'accrocher au bras des soldats ou des officiers de l'armée occupante. Elles se vendent pour quelques reichmarks aux bourreaux de leurs

* Les troupes alliées débarquent en Sicile le 10 juillet 1943. Le 24, Mussolini, mis en minorité, est incarcéré sur ordre du roi Victor-Emmanuel III. Le maréchal Badoglio forme un nouveau gouvernement et entame des négociations de reddition avec les Alliés tandis que le débarquement dans le sud de l'Italie se prépare.

compatriotes, à ceux qui pillent leur patrie. Le nombre de ces femmes croît lentement, mais sûrement. Je le considère comme un danger d'abord et aussi comme une trahison effroyable envers la France. Ne croyez-vous pas qu'il serait utile de faire peur à ces femmes ? Comment ? En les menaçant. Vous seul le pouvez, car Vichy ne s'en soucie guère : au contraire, il doit trouver que c'est là une manifestation de l'esprit de collaboration.
Faites donc quelque chose, avertissez ces gueuses que leurs noms sont soigneusement relevés et qu'à l'arrivée des Alliés on saura les trouver et marquer leur front d'une magnifique croix gammée ineffaçable pour indiquer le métier qu'elles ont professé pendant l'occupation des territoires français*.
Je vous donne peut-être là des conseils que je n'ai pas le droit de donner, mais je suis tellement écœuré que je crois que je les étranglerais avec plaisir. [...]
Vous serait-il possible de retrouver mon camarade Grégoire Morère du 2e Zouave à Oran et de lui faire savoir que toute sa famille est en bonne santé mais qu'elle attend, ainsi que sa fiancée Lulu et son ami Marcel, un petit message de sa part (soit par la BBC soit par la Croix-Rouge). Lorsque j'ai eu de ses nouvelles pour la dernière fois, c'est-à-dire en octobre 1942, mon camarade se trouvait au 2e Zouave au camp d'Arzew près d'Oran. Il doit être caporal !
Excusez-moi, chers compatriotes, de vous déranger mais je sais, et vous savez également, que la solidarité française devient de plus en plus étroite et que nous ne nous refusons aucun secours, aucun bienfait possible.
Vive de Gaulle, Vive Giraud, Vive la France.

MC au carré

P.S. : Vivement la fin de la guerre qu'on les tue...

* On estime à 20 000 le nombre de femmes tondues à la Libération.

Grand de Gaulle nous voila 1374

1e couplet (air Maréchal nous voila

Sur le front de libye
En lutte avec ardeur
Pour notre belle Patrie
Et pour nos trois couleurs
Tous les Français qui t'aiment
Et vénèrent ton nom
A ton appel suprême
En masse nous accourons

Refrain

Grand de Gaulle nous voila
avec toi pilier de la résistance
Nous jurons, nous tes gars
De t'aider et de suivre tes pas
Grand de Gaulle nous voila
Tu nous a redonné l'espérance
La Patrie renaitra
Grand de Gaulle, general nous voila

2e couplet

Français de Bir-hakim
Nous envions votre sort
Dans cette bataille ultime
Vous serez les plus forts
Vous rossez les macars
Vous étriez les boches
Dans une nouvelle bagarre
Ils grilleront à la broche

au refrain

Sur l'air de « Maréchal nous voilà », une ode à de Gaulle écrite par deux Francs-Comtois ayant participé à la bataille d'El Alamein en 1942. La lettre parvient à la BBC par la Croix-Rouge.

3e couplet

Nobles enfants de France
Sous les plis du drapeau
Pour notre délivrance
Vous êtes des héros
Lorsqu'enfin délivrée
La Patrie renaîtra
O France bien-aimée
à De Gaulle tu le devras.

au refrain

4e couplet

La France toute entière
Espère en l'avenir
Et sa souffrance altière
S'écrie vaincre ou mourir
Tous nos morts crient vengeance
Ecrasez l'oppresseur
Vive notre délivrance
Vous serez nos vengeurs.

Hommage a De-Gaulle
de Francs-comtois ayant
2 soldats sur le front
d'égypte

LA PEUR DES BOMBARDEMENTS

Dénonciations, arrestations, exécutions, bombardements… Un climat de guerre civile s'installe en France tandis que les Alliés ne cessent d'annoncer un débarquement qui tarde à venir. Le doute et l'impatience gagnent cette auditrice anonyme.

Paris, décembre 1943

La déception est grande parmi la population et une maladresse du discours de Churchill n'est pas étrangère à cette attente déçue. Les Allemands ont exploité ce point en lançant par avion des feuilles de platane en papier, portant l'inscription : « Je suis tombée. Où es-tu Churchill avec tes soldats ? » Les bombardements aériens touchant les quartiers d'habitation et non pas les objectifs militaires irritent l'opinion publique. Le bombardement de Nantes* a semé la terreur et sur les écrans cinématographiques, on pouvait contempler les lugubres aspects de la ville en ruines. […] Et journellement des patriotes sont jetés en prison, torturés, déportés ou fusillés. Et toujours, c'est le fruit de la dénonciation. À ce sujet, voici quelques mauvais Français travaillant pour les Allemands. À la Gestapo de la rue Lauriston sévissent : Lafont Henri, chef des indicateurs français de la Gestapo ; Bonny, le fameux ; Carbone et Spirito de Marseille, vieilles connaissances*. […] Voici d'autre part des méfaits des collaborateurs. Le 16 novembre, les ouvriers de l'usine Lemoine, 45 boulevard Lemoine à Ivry, se mettent en grève pour obtenir une augmentation de salaire. Aussitôt le directeur de l'usine M. B. et les sous-directeurs V. et Ch. appellent le commissaire d'Ivry. Ce dernier sollicite à son tour les Allemands, lesquels arrêtent, sous la protection des mitrailleurs, soixante-dix jeunes ouvriers lesquels sont aussitôt dirigés vers le fort de Rosny.

n. s.

* Les 16 et 23 septembre 1943.

* Henri Lafont et Pierre Bonny, chefs de la Gestapo française. Paul Carbone et François Spirito, figures du milieu marseillais, négocient la poursuite de leurs affaires en échange de leur collaboration.

LA DERNIÈRE LETTRE

La lettre de ce jeune homme inconnu, écrite et adressée à sa famille, le 2 août 1943, est lue à l'antenne de la BBC le 4 février 1944 au cours de l'émission « Les Français parlent aux Français ».

Chers papa, maman, sœurs, cher Marcel,
C'est aujourd'hui lundi 2 août, que je vais en finir avec la vie. Je viens de quitter le prêtre. Je vous écris cette dernière lettre, ensuite je casserai la croûte et il sera l'heure de partir. Mes yeux sont secs, je ne veux pas pleurer, eh non. D'ailleurs pour moi c'est bien moins dur que pour vous. [...] Ce que je vous demande c'est de rester tous unis, de ne plus vous séparer. La vie est si peu de chose qu'il ne faut pas la gâcher par des mesquineries, aussi j'espère que vous saurez le comprendre.
Avant le fin de la guerre, mon frère vous reviendra, vous avez les enfants près de vous, ainsi que Gisèle. Il faudra les aimer tous beaucoup, et vous mes petits, il faudra être bien sages, et plus tard, on vous dira pourquoi votre oncle a été fusillé, et alors vous comprendrez qu'il y a des haines qu'on ne peut abolir. Le recours en grâce nous a été refusé, car quelques heures après l'audience, un nouvel attentat a été commis contre les chemins de fer. C'est la raison que l'on donne. Je ne discute pas. À quoi bon, cela ne changerait rien. Je subirai ma peine, voilà tout. Je saurai mourir, n'ayez crainte. Votre fils n'est pas un lâche. [...]
Tout ce que je vous demande, si c'est possible, c'est de faire ramener mon corps à Villiers. Pas de fantaisie, une tombe toute simple, des fleurs naturelles, c'est tout. Allez mes petits, je vous quitte à jamais. Je vous embrasse avec mon cœur de 20 ans qui souffre d'avoir été si mal compris.

n. s.

Rouen, mars 1943. Malgré la propagande de Vichy et des occupants qui tente de la retourner, l'opinion semble accepter, non sans émotion, la stratégie des Alliés qui intensifient les bombardements.

L'HORIZON S'ÉCLAIRCIT

Lorsque Jeanne Marie s'adresse à la BBC, c'est pour obtenir des conseils et directives afin d'aider la Résistance intérieure qui intensifie son action. Nombreuses sont les femmes qui, comme elle, se sentent impuissantes et souffrent du sentiment d'être tenues à l'écart du combat final.

11 FÉVRIER 1944

Monsieur,

Je vous écoute tous les soirs et vous m'êtes tous un peu devenus familiers. [...] Je vous remercie de nous avoir aidés à maintenir notre moral intact et souvent à reconnaître le vrai chemin du devoir. Cela est dur parfois, moins cependant depuis que cette funeste propagande du maréchal a sombré avec la flotte à Toulon. Depuis l'horizon s'est éclairci pour beaucoup. Nous attendons l'arrivée des Alliés avec impatience souvent, vous nous comprenez. Mais les Boches sont plus impatients que nous, ils tremblent continuellement et je vous assure que nous rions bien quand nous les voyons défiler avec de vieilles charrettes réquisitionnées chez les paysans. [...]

Je fais ce que je peux pour aider à leur débâcle en aidant la Résistance, mais je voudrais faire beaucoup plus. Je voudrais que la Résistance prenne un plus grand nombre de femmes. Il me semble que nous pourrions faire bien des choses pour servir le pays. L'inaction nous pèse, je vous assure.

Ne pourriez-vous pas parler un peu de cela, suggérer quelques rôles que nous pourrions remplir ?

Jeanne Marie

Message De Maman Renée a
son Jeannot.
Maman Renée, papa Gaston
sont allés a la Confirmation de
la petite Nenette, ont passés une
bonne Journée, tous en famille
maman Lydie a eu beaucoup
de travail, toute la famille étant
réunie a pensé a Jeannot de
Saïgon et lui envoie de gros
baisers. Ta fiancée Paulette
t'attends toujours et t'envoie
de gros baisers. Ton copain Jean
va bien et pense a toi et regrette
profondément de t'avoir quitté
et voudrait pouvoir te retrouver
Courage. Confiance, espoir
Maman Renée
C 54749

« Maman Renée » habite Nîmes. Depuis juin 1940, elle écrit à la BBC, raconte son quotidien ou fait passer des messages personnels dans l'espoir qu'ils soient lus sur les ondes.

USA

ÉPILOGUE
Juin 1944-Mai 1945

Les derniers mois de la guerre sont particulièrement violents. Les lettres ne parviennent plus aux hommes de la BBC qui concentrent désormais tous leurs efforts sur la préparation des Français en vue du Débarquement, qui a lieu le 6 juin. La radio est plus que jamais une arme de guerre. Depuis mai, le journaliste André Gillois est chargé de donner les consignes d'action, le soir. Entre incitation au combat et conseils de prudence, Radio Londres transforme une partie de ses auditeurs en auxiliaires des Alliés.

Fin août, la Radiodiffusion nationale recouvre sa liberté. Les voix emblématiques de Londres commencent à rentrer, accueillies en triomphe. Le 22 novembre, c'est la dernière émission des « Français parlent aux Français ». Une nouvelle ère s'annonce, mais un lien invisible lie désormais les Français à la « grande dame » de Londres.

Un mois auparavant, le 21 octobre, celle-ci a adressé un message aux correspondants français : *« La BBC tient à vous remercier particulièrement de votre aide et de votre confiance. Vos lettres ont été soigneusement conservées en vue de l'identification. Maintenant qu'il est possible à la majorité des Français de correspondre avec l'Angleterre, nous serons heureux de reprendre contact avec vous. Mettez sur une carte postale votre nom et votre adresse actuelle, ainsi que votre nom de guerre, s'il y a lieu, et adressez la carte à la BBC Londres. »* Combien le firent ? Il ne reste que quelques lettres poignantes… un dernier salut à celle qui est déjà devenue un mythe.

M. Godard
Instituteur honoraire
Véron
(Yonne)

Véron, le 3 décembre 1944,

Equipe de la B.B.C. Londres

Messieurs,

Vous avez droit à l'infinie reconnaissance des Français patriotes.

Par vos émissions quotidiennes, alors que tout croulait autour de nous, vous nous avez maintenus en contact avec le monde extérieur, vous avez été pour nous le phare qui permet aux marins d'éviter les écueils et indique l'entrée du port.

Vous avez été le guide qui soutient et réconforte.

Vous trouverez ci-inclus un premier essai de versification de ma fille qui a tenu à vous adresser ainsi remerciments et félicitations.

De tout coeur je vous remercie car vous avez bien mérité de la France.

Lorsque M. Godard, instituteur honoraire, écrit à la BBC en décembre 1944, il n'hésite plus à donner son adresse et à signer sa lettre.

Ô VOIX SACRÉE D'UNE RADIO LIBRE

Le vent de liberté que les auditeurs respiraient en écoutant Radio Londres souffle désormais sur la France. La parole se libère et ce sont des lettres de reconnaissance qui parviennent à la BBC, comme ce poème composé par la fille d'un instituteur.

VÉRON, 3 DÉCEMBRE 1944

Messieurs,

Vous avez droit à l'infinie reconnaissance des Français patriotes. Par vos émissions quotidiennes, alors que tout croulait autour de nous, vous nous avez maintenus en contact avec le monde extérieur, vous avez été pour nous le phare qui permet aux marins d'éviter les écueils et indique l'entrée du port. Vous avez été le guide qui soutient et réconforte. Vous trouverez ci-inclus un premier essai de versification de ma fille qui a tenu à vous adresser ainsi remerciements et félicitations. De tout cœur je vous remercie car vous avez bien mérité de la France.

Monsieur Godard, instituteur honoraire

Équipe française de la BI BI CI
La France vous salue en vous disant merci
Dans la sombre agonie de juin quarante
La France épuisée, meurtrie, pantelante,
Livrée et trahie, se décourageait.
Se sentant perdue, morne, elle pleurait. [...]
« N'oubliez pas que vous êtes vaincus »,
Disait une voix maudite. Vaincus,
Toujours ce mot qui nous broyait le cœur,
Ce mot qu'on n'entendait qu'avec horreur.
Et c'était Pétain qui disait cela !
Quelle honte ! Mais de Gaulle parla :

« Espérez, Français, l'Angleterre tient.
Songez que notre sort est lié au sien,
Nous sommes alliés, nous le resterons :
Et côte à côte, nous résisterons. [...]
Dès ce moment, nous n'avons pas cessé
Chaque jour, d'écouter la BBC. [...]
Et quand le speaker ami annonçait :
« Ici Londres » notre cœur bondissait,
Ô voix sacrée d'une radio libre,
Voix amie dont la parole vibre
Vous étiez l'espoir et la lumière
Et, de vous, la Patrie est fière. [...]
Vous avez bien rempli votre mission,
BBC Vous êtes le trait d'union
De tous les peuples contre les tyrans.
Forte et brave comme des vétérans,
Vous êtes le grand phare étincelant,
Qui ranima le monde chancelant.
Le monde entier tournant les yeux vers vous
Crie : Merci, BBC, Honneur à vous !

Marcelle Godard

UN LIEN INDESTRUCTIBLE

Par-delà le malheur, et dans de nombreux foyers meurtris par cette guerre, la BBC reste l'âme sœur que l'on ne veut pas quitter... Une présence rassurante, comme pour ce petit garçon de 12 ans qui attend le retour de son papa.

JANVIER 1945

Chers amis,
Je me permets de vous adresser ces quelques lignes afin de vous dire combien nous sommes heureux d'être délivrés, car

nous aussi nous connaissons les misères de la guerre.
Mon papa est prisonnier, notre maison a été démolie par les bombardements quelques jours avant la Libération, mais cela ne nous empêche pas, maman et moi, de penser à vous et aux petits Anglais qui ont souffert. [...] Chers amis, je voudrais vous demander en même temps de prolonger le quart d'heure des enfants car nous logeons chez des voisins et nous écoutons tous les jours la radio de Londres, nous écoutons d'abord les informations, la musique de danse, la musique écossaise que j'aime beaucoup. Je conserve toujours l'espoir qu'un jour je pourrais aller en Angleterre pour apprendre l'anglais et pouvoir vous causer de vive voix.

Un garçon de 12 ans qui a écrit deux fois à la BBC

LA VICTOIRE

Les lettres sont désormais signées. Ici, c'est la famille Berc de Juan-les-Pins qui envoie quelques lignes tapées à la machine. Un mot résume le lien qui l'unit aux hommes de Londres : MERCI !

7 MAI 1945

Chère BBC,
Je me fais un plaisir et un devoir en ce jour glorieux qui met fin à cette horrible guerre*, et dans l'attente où nous sommes de l'annonce de cet armistice tant attendu, de venir vous dire merci pour tout ce que vous avez fait pour nous depuis bientôt cinq ans. Depuis la première émission du général de Gaulle, nous avons suivi vos émissions jusqu'à cinq fois par jour dans les périodes critiques. Comme nous voulions savoir. Comme nous les aimions ces voix qui nous parlaient français. [...] Le jour de gloire est arrivé !

H. Berc

* À 2 h 41, le 7 mai 1945, l'Allemagne signe une première capitulation à Reims. Le lendemain, un armistice est signé à Berlin.

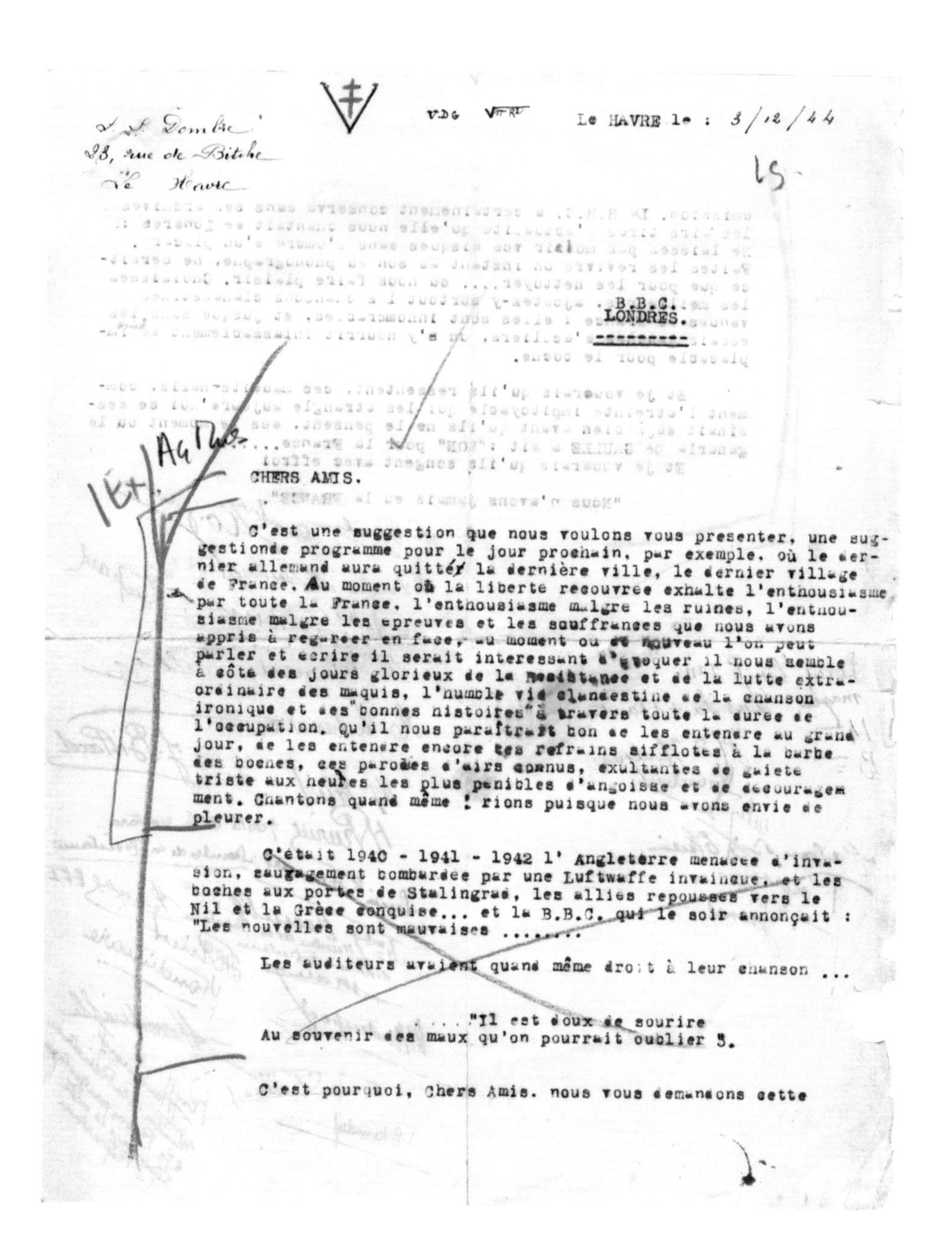

L. L. Dombre
28, rue de Bitche
Le Havre

VDG

Le HAVRE le : 3/12/44

B.B.C.
LONDRES.

CHERS AMIS.

C'est une suggestion que nous voulons vous presenter, une suggestionde programme pour le jour prochain, par exemple, où le dernier allemand aura quitté la dernière ville, le dernier village de France. Au moment où la liberte recouvree exhalte l'enthousiasme par toute la France, l'enthousiasme malgre les ruines, l'enthousiasme malgre les epreuves et les souffrances que nous avons appris à regarder en face, au moment ou de nouveau l'on peut parler et ecrire il serait interessant d'evoquer il nous semble à côte des jours glorieux de la Resistance et de la lutte extraordinaire des maquis, l'humble vie clandestine de la chanson ironique et des"bonnes histoires"à travers toute la duree de l'occupation. Qu'il nous paraîtrait bon de les entendre au grand jour, de les entendre encore ces refrains sifflotes à la barbe des boches, ces parodies d'airs connus, exultantes de gaiete triste aux heures les plus penibles d'angoisse et de decouragement. Chantons quand même ! rions puisque nous avons envie de pleurer.

C'était 1940 - 1941 - 1942 l' Angleterre menacee d'invasion, sauvagement bombardee par une Luftwaffe invaincue, et les boches aux portes de Stalingrad, les allies repousses vers le Nil et la Grèce conquise... et la B.B.C. qui le soir annonçait : "Les nouvelles sont mauvaises ....

Les auditeurs avaient quand même droit à leur chanson ...

....."Il est doux de sourire
Au souvenir des maux qu'on pourrait oublier 3.

C'est pourquoi, Chers Amis. nous vous demandons cette

Le courrier est enfin rétabli avec l'Angleterre. Même si la guerre n'est pas terminée et que les combats se poursuivent dans l'est de la France, la peur a disparu. Désormais, les auditeurs signent de leur nom.

emission. La B.B.C. a certainement conserve dans ses archives les airs tires d'actualite qu'elle nous chantait de Londres : Ne laissez pas moisir vos disques dans l'ombre d'un placard. Faites les revivre un instant au son du phonographe, ne serait-ce que pour les nettoyer.... ou nous faire plaisir. Choisissez les meilleures, ajoutez-y surtout les chansons clandestines venues de France : elles sont innombrables, et jusque dans les essais gauches d'écoliers, on s'y nourrit inlassablement de haine implacable pour le boche.

Et je voudrais qu'ils ressentent, ces maudits nazis, comment l'étreinte impitoyable qui les étrangle aujourd'hui se dessinait déjà bien avant qu'ils ne le pensent, dès le moment où le général De GAULLE a dit :"NON" pour la France........

Et je voudrais qu'ils songent avec effroi

"Nous n'avons jamais eu la FRANCE"

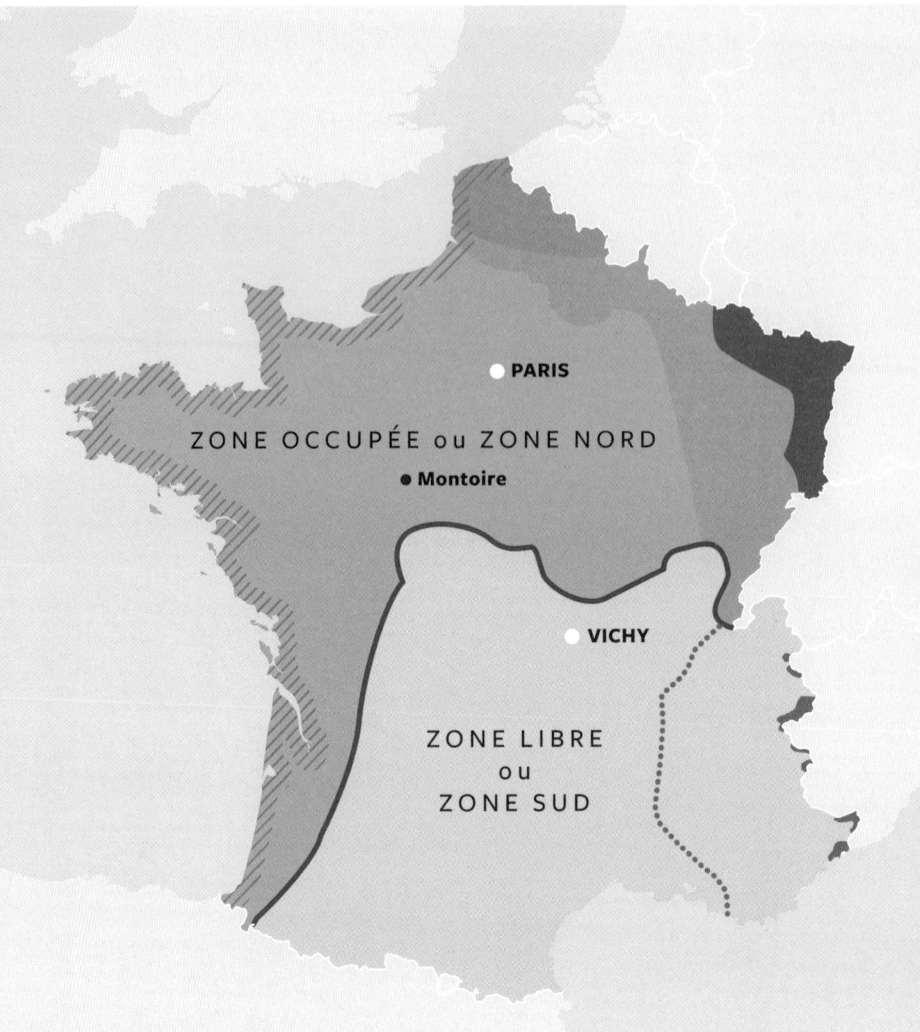

LA FRANCE DE 1940 À 1944

- Ligne de démarcation
- Zone non occupée jusqu'en novembre 1942
- Zone occupée par les autorités allemandes.
- Zone interdite au retour des réfugiés
- Zone interdite rattachée au gouverneur militaire allemand de Bruxelles
- Alsace-Lorraine annexées au Reich allemand
- Zone italienne
- Limite de l'occupation italienne à partir de novembre 1942
- Zone interdite (littoral) dans le cadre du «Mur de l'Atlantique»
- Capitale

0 100 km

LES FRANÇAIS SOUS L'OCCUPATION

1940

10 mai : début de l'offensive allemande.

14 juin : les Allemands sont à Paris, le gouvernement français à Bordeaux.

17 juin : le maréchal Pétain, président du Conseil, demande les conditions d'armistice.

18 juin : 1er appel du général de Gaulle lancé à la BBC de Londres.

22 juin : signature de la convention d'armistice à Rethondes, dans le wagon où avait été signé l'armistice du 11 novembre 1918.

25 juin : la radio française cesse d'émettre.

28 juin : Churchill reconnaît de Gaulle comme chef des Français libres.

5 juillet : mise en service de Radio Vichy.

10 juillet : le Parlement vote les pleins pouvoirs au maréchal Pétain. L'État français se substitue à la IIIe République.

12 juillet : Pierre Laval est nommé vice-président du Conseil. Par délégation de pouvoir, il obtient le contrôle des médias.

14 juillet : « Ici la France », 1re émission de l'équipe française de la BBC.

18 juillet : « Honneur et Patrie », 1re émission du général de Gaulle, avec comme porte-parole Maurice Schumann. La *Propaganda-Abteilung* prend le contrôle de Radio Paris.

6 septembre : l'émission « Ici la France » s'appelle désormais « Les Français parlent aux Français ». Le même jour, Pierre Laval est chargé de l'Information en France.

3 octobre : 1er statut des Juifs.

24 octobre : rencontre Hitler-Pétain à Montoire (Loir-et-Cher).

28 octobre : Vichy interdit d'écouter la BBC dans les lieux publics.

30 octobre : Pétain appelle à la collaboration.

Automne : arrivée de la 1re lettre française à Radio Londres.

13 décembre : renvoi de Laval.

1941

1er janvier : « L'heure d'espérance », la BBC demande aux Français de « faire le vide dans les rues de France ».

3 janvier : lancement de l'émission « Courrier de France » de Jacques Borel.

Janvier : opération de la BBC « Savez-vous planquer les sous ? » pour soustraire les pièces de nickel aux Allemands.

9 février : Darlan, vice-Premier ministre et ministre des Affaires étrangères.

22 mars : lancement de la campagne des V par la BBC.

11 mai : de Gaulle appelle à une immense manifestation d'union nationale.

28 juin : les « pom pom pom pom », premières mesures de la 5e symphonie de Beethoven servent d'amorce aux émissions françaises de Londres.

14 juillet : appel de la BBC à manifester dans toute la France.

Septembre : « Lisette va bien », premier message codé lancé via la BBC.

31 octobre : appel de De Gaulle en faveur d'un garde-à-vous national de cinq minutes.

11 novembre : appel de la BBC à manifester en France.

1942

27 mars : premier convoi de Juifs vers Auschwitz.

17 avril : démission de Darlan.

18 avril : retour de Laval au pouvoir.

1er mai : appel de la BBC à des manifestations patriotiques en France.

7 mai : port de l'étoile jaune obligatoire en zone occupée.

22 juin : Laval lance la relève.

14 juillet : la BBC appelle à des manifestations de résistance civile.

16-17 juillet : rafle du Vél' d'Hiv à Paris.
7-8 novembre : opération Torch, débarquement anglo-américain en Afrique du Nord.
9 novembre : arrivée du général Giraud à Alger.
11 novembre : la Wehrmacht envahit la zone sud.
27 novembre : sabordage de la flotte à Toulon et dissolution de l'armée de l'armistice.
7 décembre : l'Afrique occidentale française (AOF) se rallie aux Alliés.
24 décembre : Darlan est assassiné à Alger.

1943

30 janvier : création de la Milice.
15 février : institution du Service du travail obligatoire (STO). Début de la campagne contre le STO à la BBC.
1er mai : la BBC appelle à manifester en France.
10 mai : début de campagne de sensibilisation des Français sur la valeur de leur poste de radio.
14-15 mai : annonce à Londres de la constitution du Conseil de la Résistance (CNR).
31 mai : arrivée de De Gaulle à Alger.
3 juin : création du Comité français de libération nationale (CFLN).
14 juillet : manifestations patriotiques en France.
30 octobre : arrivée de Pierre Dac dans l'émission « Les Français parlent aux Français ».
19 novembre : Jean Marin intervient pour la dernière fois à Radio Londres avant de rejoindre les Forces françaises libres.

1944

5 février : Philippe Henriot, secrétaire d'État à l'Information et à la Propagande. La BBC met en garde contre les confiscations de poste.

Mars : saisies de postes de radio dans l'Orne, le Calvados, la Manche, l'Eure, le Nord et la Seine-Inférieure.

11 mai : André Gillois, porte-parole du CFLN à la BBC. Il travaille à la mobilisation des esprits en vue du jour J.

20 mai : lancement de la campagne officielle pour préparer les populations au Débarquement.

3 juin : le CFLN devient le Gouvernement provisoire de la République française (GPRF). Arrivée de De Gaulle à Londres.

6 juin : opération Overlord. Débarquement des Alliés en Normandie.

28 juin : Philippe Henriot est abattu par la Résistance.

15 août : débarquement franco-américain en Provence.

17 août : Radio Vichy cesse ses émissions.

18 août : fin de Radio Paris.

20 août : Pétain est transféré à Belfort, puis à Sigmaringen.

19-25 août : Libération de Paris par la 2e DB du général Leclerc.

22 août : premier bulletin d'information à la Radiodiffusion de la nation française lu par Pierre Crénesse.

25 août : hommage rendu sur les antennes françaises libres à l'équipe de la BBC.

26 août : le général de Gaulle défile sur les Champs-Élysées.

22 novembre : dernière émission des « Français parlent aux Français ».

1945

7-8 mai : Reddition allemande à Reims puis à Berlin.

REMERCIEMENTS

La découverte de ces lettres fut pour moi un moment unique. Dès lors, j'ai souhaité les restituer à l'Histoire. La chance m'a accompagnée et m'a fait rencontrer des personnes auxquelles je dois beaucoup, sans lesquelles ce projet ne serait pas devenu un livre. Pour leur soutien, je dédie cet ouvrage à Olivier Poivre d'Arvor, directeur de France Culture, et Pierre-Marie Christin, directeur de France Info, mais aussi à Dominique Blanchecotte et Maryline Girodias de la Fondation d'entreprise La Poste, David Valence et Catherine Trouiller de la Fondation Charles de Gaulle.

Et tous ceux qui sont devenus des compagnons de route : Rachel Grunstein, James Codd et Jessica Hogg du BBC Written Archives Centre, Christine Levisse-Touzé, directrice du musée Jean-Moulin, Xavier Aumage du musée de la Résistance nationale de Champigny-sur-Marne, les historiens Yves Lecouturier, Michel Varin, Antoine Lefébure et Laurent Albaret, et encore Hervé Lehning et David Naccache.

Avec une pensée particulière pour Jean-Louis Crémieux-Brilhac et son amitié de vingt ans, et ces Français anonymes que je n'ai connus qu'à travers leurs correspondances.

À tous, et à tous ceux qui restent dans mes pensées, ce mot qui revient si souvent dans les lettres des auditeurs de Radio Londres : merci.

CRÉDITS DES TEXTES

CRÉDITS PHOTOGRAPHIQUES

Direction éditoriale : Sophie de Sivry et Rachel Grunstein
Couverture et conception graphique : Quintin Leeds
Mise en pages : Sandra Fauché
Cartographie : Alexandre Nicolas
Révision : Nathalie Capiez
Photogravure : Les Artisans du Regard

Je vous écris de France se prolonge sur les sites
www.editions-iconoclaste. fr, www.franceculture.fr et www.franceinfo.fr

L'Iconoclaste
27 rue Jacob, 75006 Paris
Tél. : 01 42 17 47 80
iconoclaste@editions-iconoclaste.fr

Achevé d'imprimer en France
par Corlet Imprimeur à Condé-sur-Noireau (Calvados).
ISBN : 978-2-91336-665-7
Dépôt légal : mai 2014.